MONSTEROORLOG

Boeken van Darren Shan:

DARREN SHAN

MONSTEROORLOG

Demonata-serie

BOEK 6

De Fontein

www.darrenshan.com
www.defonteinkinderboeken.nl

Oorspronkelijke titel: *Demon Apocalypse*
Verschenen bij HarperCollins Children's Books, een onderdeel
van HarperCollins Publishers Ltd, Londen
© 2007 Darren Shan
Voor deze uitgave:
© 2008 Uitgeverij De Fontein, Baarn
Vertaling: Marce Noordenbos
Omslagafbeelding: Mel Grant
Omslagontwerp: Wouter van der Struys
Grafische verzorging: Text & Image

ISBN 978 90 261 2402 0
NUR 283, 284

Deel 1

Beranabus

Gekaapt

Een demon in de gedaante van een reusachtige schorpioen steekt zijn angel in de ogen van een vrouw. Wanneer ze openbarsten spuugt hij een klont eitjes in de bloederige oogkassen en kijkt vervolgens met zijn bijna menselijke gezicht toe hoe de eitjes uitkomen en de wriemelende larvenmassa zich te goed doet aan het vlees van de vrouw.

Een ander demonisch schepsel – het ziet eruit als een schattig konijn, maar het heeft een afzichtelijke bochel op zijn rug – braakt over een man en zijn twee kinderen heen. De bijtende vloeistof vreet zich sissend een weg door hun lichamen totdat alleen de botten nog over zijn.

Een derde vazal van de Demonata rent achter een stewardess aan. Hij heeft het lichaam van een kind, maar zijn hoofd is groter dan dat van een volwassene. In plaats van haar heeft hij een pruik van levende luizen, en in de kassen waar zijn ogen zouden moeten zitten brandt een hels vuur. In zijn handpalmen heeft hij twee extra monden, waarvan de kaken begerig open en dicht klappen terwijl hij de krijsende stewardess achterna zit.

Iedereen in het vliegtuig krijst, behalve degenen die al dood zijn. Het is muziek in de oren van Lord Loss, de Grootmeester van het Kwaad. Hij zweeft door het middenpad. Rond zijn lippen speelt een meewarige glimlach en zijn rode ogen staren in de verte. Van zijn acht armen bewegen er een paar op het ritme van het gekrijs mee, als de dirigent van een orkest. Dan ontwaakt hij met een ruk uit zijn mijmeringen en kijkt mij aan.

'Je had me niet moeten vernederen, Grubitsch,' zegt Lord Loss, die nog steeds woest is over de keer dat ik hem heb verslagen met schaken. 'Je had eerlijk moeten vechten, in de geest van het spel, en louter op verdienste moeten winnen of verliezen. Je hebt het schaakspel voor me verpest... Eeuwenlang was het mijn enige andere bron van vreugde. Nu heb ik alleen nog het martelen en de doodsstrijd van mensen om me mee te vermaken.'

Langzaam zweeft hij door het gangpad op me af. De stroken vlees die voor benen moeten doorgaan, hangen een paar centimeter boven de grond. De slangetjes in het gat waar zijn hart zou moeten zitten, kronkelen. Ze sissen kwaadaardig en spugen gif mijn kant uit. Er stroomt bloed uit het labyrint van kloven in zijn bleekrode huid. De gaten boven zijn lippen – hij heeft geen neus – trillen opgewonden wanneer hij verrukt de stank opsnuift van de panische angst van de ten dode opgeschreven passagiers. Zijn donkerrode ogen zijn groot van het perverse genot. Hij strekt al zijn acht armen uit en strijkt met zijn verminkte handen in het voorbijgaan over de hoofden of langs de wangen van de mensen, alsof hij hun een weerzinwekkende zegening geeft. Achter hem staat de witharige, roze-ogige albino, de verraadster

Juni Swan, onaangedaan te glimlachen.

Een vrouw die een baby in haar armen heeft geklemd valt hevig snikkend op haar knieën voor Lord Loss. 'Alstublieft!' roept ze uit. 'Niet mijn kind. Heb meelij met mijn kind. Dood hem niet. Ik smeek het u!'

'Laat de kinderen tot mij komen,' mompelt Lord Loss godslasterlijk en hij pakt de baby met drie van zijn handen beet. Hij streelt het gezichtje en het jongetje lacht. Lord Loss geeft hem aan Juni. 'Voor jou, mijn liefste Swan.'

'U bent te goed voor me,' zegt ze glimlachend en ze zoent het kind.

'Nee!' schreeuw ik. Maar het is al te laat. Enkele seconden later heeft ze het kwetsbare leven uit hem gezogen en ze gooit de grijze overblijfselen van de baby aan de kant. De moeder van het kind snakt naar adem, haar ogen opengesperd van ongeloof en afschuw. Lord Loss buigt zich naar haar toe en ademt haar leed in. Dan zucht hij vergenoegd en vervolgt zijn weg, haar overlatend aan de mindere demonen.

Ziek van angst deins ik achteruit voor de demonenmeester die naderbij komt. Achter me bevinden zich enkele lege rijen – de passagiers zijn naar de staart van het toestel gevlucht.

Lord Loss maakt een brommend geluidje. 'Eindelijk beweeg je. Ik dacht even dat er vandaag weinig plezier aan je te beleven zou zijn.'

'Laat ze met rust,' snauw ik hem toe, mijn handen tot trillende vuisten gebald. 'Je wilt mij, dus laat de anderen gaan.'

'Dat is helaas niet mogelijk, Grubitsch,' verzucht

Lord Loss. 'Mijn getrouwen hebben honger. Ik heb ze iets te eten beloofd. Je wilt toch niet dat ik mijn beloftes niet nakom?'

'Mijn meester houdt zich altijd aan zijn beloftes,' grinnikt Juni.

Ik richt mijn aandacht op haar. Op het blonde koekoeksjong met het zwarte hart. Ze gedroeg zich als mijn moeder. Ik hield van haar. Door haar heb ik me van Derwisj laten verwijderen. En al die tijd spande ze tegen me samen. 'Secreet!' snik ik. 'Wat ben jij in hemelsnaam? Een demon in schaapskleren?'

'Dat is wel heel veel eer,' antwoordt ze minzaam. 'Ik ben gewoon een mens, net als jij. En geloof het of niet, we hebben nog dezelfde voorouders ook. Maar in tegenstelling tot jou en die dwaze oom van je, heb ik ervoor gekozen de grootsten onder ons te dienen in plaats van de strijd met hen aan te gaan.'

'Je hebt ons aan de vijand uitgeleverd!' roep ik uit. Maar dan slaat de verwarring toe. 'Ik... ik snap het niet. Toen we in Slagtenstein voor de demonen probeerden te vluchten heb je ons geholpen.'

'Nee.' Ze glimlacht. 'Dat was allemaal doorgestoken kaart. Toen ik voor het eerst met Davida Haym bij jullie thuiskwam, heb ik Derwisj met behulp van magie overgehaald om naar Slagtenstein te komen en jou en Bill-E mee te nemen. Het was mijn taak om op de set jullie vertrouwen te winnen. Ik heb jullie je geheimen ontfutseld, zodat we die tegen jullie konden gebruiken.

'Ik heb jullie als marionetten bespeeld,' zegt ze opschepperig. 'Ik heb jullie laten geloven dat ik bij jullie zielige clubje hoorde, dat ik een betrouwbare bondgenoot was. Ik heb jullie ontsnappingsplannen laten maken en ze zelfs laten uitvoeren; het was veel leuker om jullie ontsnapping op het laatste nippertje te laten mislukken. Vlak voordat jullie de barrière bereikten, zou ik mijn ware identiteit onthullen en jullie aan mijn meester uitleveren. En dat zou ook zijn gebeurd, ware het niet...'

'Dat je bewusteloos werd geslagen,' vul ik haar verbijsterd aan, terwijl ik de stervende demon die haar in zijn doodsstuipen tegen de vlakte sloeg weer voor me zie.

Juni knikt verbitterd. 'Toen ik weer bijkwam was het te laat. Ik ben nog even gebleven om Chuda Sool het zwijgen op te leggen – hij kende mijn ware identiteit – en ben vervolgens naar mijn meester teruggekeerd om onze nieuwe strategie te bepalen.'

'We waren eigenlijk niet van plan zo snel al weer toe te slaan,' vult Lord Loss aan. Op drie meter afstand blijft hij stilhangen, genietend van hoe de omvang van het verraad langzaam tot me doordringt. 'Ik kon de magie in je voelen, ook al heb je die meesterlijk weten te verbergen. Ik wilde afwachten totdat ik precies wist wat voor vlees ik in de kuip had. Maar toen kreeg Juni een visioen.'

'Af en toe vang ik wat toekomstbeelden op,' zegt Juni zelfvoldaan. 'Een paar maanden voordat het daadwerkelijk gebeurde, zag ik je al in een weerwolf veranderen.'

'Ik kon niet langer wachten,' verzucht Lord Loss. 'Ik wilde je straffen terwijl je nog mens was – het geeft weinig voldoening om een ongevoelig dier te doden. En dus liet ik je in de gaten houden. Als het om weer-

wolven gaat heb ik een scherp oog. Ik zou het zo ti-
men dat ik vlak voor de uiteindelijke transformatie
zou toeslaan. Het idee om je zo lang mogelijk te laten lijden onder de doodsangsten van de op handen
zijnde verandering sprak me wel aan.'

'Het viel allemaal keurig op zijn plek,' zegt Juni
smalend. 'Ik was van plan naar Carcery Vale te gaan
en zocht een excuus voor mijn plotselinge terugkeer.
Toen jullie vriend stierf, hulde ik me in mijn psycho-
logenvermomming, ontdeed me van William Mauch
en nam zijn plaats in. Bill-E en jij ontvingen me met
open armen. En Derwisj... Ach ja, hij was duidelijk
erg blij om me te zien.'

'Je hebt ons verraden,' bijt ik haar toe. Tranen van
woede wellen op en ik knipper met mijn ogen.

'Daar was niet veel voor nodig,' mompelt ze.

Ik zie de kwaadaardigheid in haar ogen. Hoe is het
mogelijk dat ik het niet eerder heb gezien.

'Derwisj viel voor mijn grote roze ogen en mooie
witte huid. Hij heeft geen moment in mijn hart gekeken. Bij hem hoefde ik zelfs geen magie te gebruiken,
hij werd uit zichzelf al verliefd op me. De sukkel.'

Bij die woorden voel ik de magie in me oplaaien.
Ik brul en hef mijn vuisten. Een zuivere, onzichtbare
kracht balt zich in mijn handen samen en schiet door
mijn knokkels naar buiten. Ik richt hem op Juni met
de bedoeling haar in ontelbare stukken vlees uiteen
te doen spatten.

Haar ogen knipperen gealarmeerd. Ze wil een be-
schermende bezwering uitspreken, maar het is te laat.
Ik ga haar vernietigen, haar atomen aan flarden
scheuren en –

Lord Loss steekt vier van zijn armen uit. Hij werpt een obstakel op tussen Juni en mij en absorbeert de energie van mijn uitval. Hij krimpt ineen, struikelt een paar meter naar achter en richt zichzelf dan weer glimlachend op.

'Je bent sterk, Grubitsch, maar onervaren. Als je meer tijd had besteed aan je studie van de magie, dan had je die grote kracht misschien kunnen leren beheersen en jezelf en die andere ongelukkige slachtoffers kunnen beschermen. Maar je hebt je verantwoordelijkheid niet genomen. En dus zullen jij en alle anderen sterven.'

Ik krijs en laat dan een tweede lading magische energie op hem los, nog krachtiger dan de eerste. Lord Loss wordt vol in zijn borst getroffen. Hij vliegt een paar meter naar achter en slaat Juni daarbij tegen de grond. Bijna verliest hij zijn evenwicht, maar dan herstelt hij zich en lacht. Hij veegt de bloeddruppels van zijn gewaad alsof het pluisjes zijn.

'Ben je klaar of wil je het nog een keer proberen?' vraagt hij. 'Misschien heb je de derde keer meer geluk. Wat denkt u, mejuffrouw Swan?'

Juni krabbelt overeind, laaiend omdat ze tegen de grond is geslagen. 'Wat mij betreft mogen we stoppen met de spelletjes en hem nu meenemen,' zegt ze bits.

'Meenemen?' herhaal ik. 'Waarheen?'

'Naar mijn wereld,' antwoordt Lord Loss. 'Je dacht toch niet dat ik je hier ging doden, samen met die onbetekenende anderen, snel en efficiënt? Lieve deugd, nee. Je hebt me mijn grootste levensvreugde ontnomen – schaken. Daar zul je naar behoren voor boeten, in het universum van de Demonata, waar de tijd tergend langzaam verstrijkt, waar ik je ziel duizenden jaren kan folteren... misschien wel langer.'

'Dat is nog eens wat anders dan nablijven, nietwaar?' sneert Juni.

'Arterie!' roept Lord Loss. De kind-demon met hellevuur in plaats van ogen haalt zijn hoofd uit de buikholte van de stewardess en kijkt op, de ingewanden druipen langs zijn kin.

'Spine,' zegt Lord Loss. De reuzenschorpioen, die ondersteboven aan het plafond hangt, trekt zijn angel in en kijkt zijn meester aan.

'Femur,' besluit Lord Loss, en de konijnendemon springt op het hoofd van een van de dode lichamen, bellen van zuur op zijn lippen.

Lord Loss maakt een gebaar naar de plek waar de meeste overlevenden huilend en verstijfd van angst opeengepakt zitten. 'Reken daar even mee af. We moeten er snel vandoor, voordat het venster aan onze kant zich sluit.'

Zijn dienaren laten een weerzinwekkend gelach horen en stormen op me af. Ik krimp ineen wanneer de monsters me naderen, maar ze vliegen langs me heen en raken me niet aan. Gekrijs achter me, en dan afschuwelijke scheurende, kauwende, stekende en sissende geluiden.

Ik kijk niet achterom. Een deel van me wil wel omkijken; misschien werkt mijn magie wel tegen zijn dienaren, misschien zou ik ze kunnen doden. Maar ik durf Lord Loss niet mijn rug toe te keren. De demonenmeester vormt de grootste dreiging. Als ik me van achteren door hem laat aanvallen, ben ik zeker verloren. Wie probeer ik hier voor de gek te houden? Ik ben sowieso verloren. Hij heeft zojuist laten zien dat zelfs mijn krachtigste aanvallen hem vrijwel niets doen. Ik kan me net zo goed meteen overgeven, dan zijn we er tenminste vanaf. Als hij me een snelle dood beloofde, zou ik het aanbod misschien nog accepteren ook, want het vooruitzicht een millennium lang gemarteld te worden in zijn duivelse wereld staat me niet aan. Ik ga me niet vrijwillig uitleveren aan zo'n ellendig lot. Als hij een langdurig speeltje van me wil maken, zal hij ervoor moeten vechten.

'Kom maar op, amateuristische builenkop!' schreeuw ik hem toe, terwijl ik een paar passen achteruit doe. 'Denk je dat je me te pakken kunt krijgen? Mooi niet. Het zal je niet lukken, net zomin als het je gelukt is me met schaken te verslaan of in Slagtenstein te doden. Je bent een loser!'

Het gezicht van Lord Loss vertrekt. Hij steekt zijn armen naar me uit. Een enorme kracht balt zich samen in zijn misvormde vingertoppen en de lucht knettert van de magie.

Ik zeg het leven vaarwel en bereid mezelf voor op de dood.

Dan ontspant zijn gezicht zich en hij laat zijn armen zakken. 'Nee, Grubitsch,' zegt hij grinnikend. 'Ik laat me niet door je uitdagen. Je probeert me te verleiden om je een snelle dood te bezorgen. Slim bedacht, maar ik trap er niet in. Ik ben gekomen om je mee te nemen en dat ga ik doen ook. Later zal ik je doden, wanneer we –'

Hij wordt onderbroken door een hitte-explosie in

de cabinewand links van me. Vanuit mijn ooghoeken kijk ik ernaar, in de verwachting weer een van Lord Loss z'n trawanten te zien verschijnen. Er straalt een gloeiend heet wit magisch licht van de wand.

'Meester?' zegt Juni onzeker wanneer ze ziet dat Lord Loss stokt.

'Stil!' bijt hij haar toe.

Ze weten niet wat het is!

Ondanks de grote hitte beweeg ik me langzaam in de richting van het licht. Als dit iets is waar Lord Loss geen macht over heeft, dan kan het alleen maar goed nieuws zijn. Misschien valt het vliegtuig uit elkaar en is dit het begin van een enorme ontploffing. In dat geval wil ik de grootste klap opvangen. Die kan dan meteen de zelfingenomen grijns van dat verachtelijke smoelwerk van de demonenmeester vegen.

Er ontstaat een ovalen gat in de zijkant van het vliegtuig. Het is ongeveer twee meter hoog en een meter breed. Door het gat heen zie ik buiten een man die zich aan de vleugel van het toestel vastklampt. Het is de zwerver! Hij volgt me al een paar weken, om te zien of ik in een weerwolf verander. Vannacht, toen ik mezelf had bevrijd uit de kooi in de kelder waarin Derwisj me had opgesloten, lag hij op de loer achter het huis. Ik dacht dat hij een van de Lammeren – de weerwolfbeulen *par excellence* – was, maar daar begin ik nu aan te twijfelen.

De zwerver leunt de cabine in en steekt een arm naar me uit. Met zijn andere arm houdt hij zich vast aan de vleugel, terwijl een hevige onaardse wind aan zijn haar en kleren rukt. 'Kom op, jongen!' schreeuwt hij. 'Kom mee. Nu!'

'Nee!' schreeuwen Lord Loss en Juni tegelijkertijd.

De armen van Lord Loss schieten omhoog en hij vuurt een straal magische energie op de zwerver af. Maar het witte licht rond het gat slokt de energie op en verstrooit die tot een fontein van knetterende vonken.

Ik staar de zwerver wezenloos en met open mond aan.

'Kom op!' roept de zwerver opnieuw. 'Een tweede aanval hou ik niet meer tegen. Het is nu of nooit.'

Ik kijk van de zwerver naar Lord Loss en Juni. Hun gezichten zijn vertrokken van haat. Juni prevelt een bezwering, haar lippen bewegen zich razendsnel. Lord Loss bereidt zich voor om de zwerver een tweede keer onder vuur te nemen.

Een snelle blik in de andere richting. Arterie, Spine en Femur komen door het gangpad aangerend, vastbesloten me te grazen te nemen.

Ik kijk weer naar de Grootmeester van het Kwaad, grinnik en steek mijn middelvinger omhoog. Dan neem ik een duik in de richting van de zwerver. Ik steek mijn rechterhand uit, de zwerver grijpt hem beet en trekt me het gat door. Hij roept een magisch woord en de vliegtuigromp sluit zich. Ik hoor Lord Loss als een razende tekeergaan. Dan is het gat weer verdwenen en hoor ik alleen nog maar het gebulder van de wind.

Ik realiseer me dat ik me vasthoud aan een zwerver die zich aan de vleugel van een vliegtuig heeft vastgeklemd, kilometers boven de grond. Ik heb een fractie van een seconde om me over deze krankzinnige situatie te verwonderen. Dan worden we door de wind gegrepen. We worden losgerukt. Het vliegtuig raast verder. Wij vallen.

Vliegen

Met duizelingwekkende snelheid val ik naar de aarde. Vrije val. Omringd door blauwe lucht, de wolken ver beneden me, maar elke seconde dichterbij. Ik kijk wanhopig naar de zwerver, naar iets wat de aanwezigheid van een parachute verraadt. Maar ik zie niets. Hij stort net als ik omlaag, met maar één mogelijkheid om onze val te stoppen – een doodsmak.

Ik begin te schreeuwen en verwoed met mijn armen te flapperen. Gek genoeg wilde ik dat ik weer in het vliegtuig zat. Daar had ik tenminste nog een sprankje hoop om het van de demonen te winnen. Hier ga ik een zekere dood tegemoet.

'Jongen!' roept de zwerver opgewekt. 'Heb je het naar je zin?'

'We gaan eraan!' brul ik. Mijn kleren rukken als gekken aan mijn armen en benen, de ijskoude wind giert in mijn oren.

'Niet vandaag!' roept de zwerver lachend. Dan buigt hij zijn lichaam en komt dichter naar me toe. 'We kunnen vliegen.'

'U bent gestoord!' krijs ik.

'Misschien,' zegt hij grijnzend. Hij kromt zijn lichaam, zweeft van me af, vliegt over me heen en onder me door, en blijft dan aan de andere kant van me hangen. 'Misschien ook niet.'

'Laat mij me aan u vasthouden!' roep ik en ik probeer hem beet te pakken.

Hij beweegt zich van me weg. 'Nee. Het is tijd dat jij jezelf leert redden. Je bent een magisch wezen. Gebruik je macht.'

'Dat kan ik niet,' jammer ik.

'Natuurlijk kun je dat wel,' zegt hij bevoogdend, alsof hij mijn leraar is en we in de klas een verschil van mening hebben, veilig op de grond, in plaats van eropaf suizend met een snelheid die ik niet eens wil weten.

'We gaan eraan!' schreeuw ik opnieuw.

'Ik niet,' zegt hij. 'En jij ook niet als je je concentreert. Maar je kunt maar beter opschieten,' voegt hij eraan toe wanneer we in een dikke laag wolken terechtkomen en er een seconde of twee later weer doorheen breken. 'Je hebt niet veel tijd meer.' Hij wijst naar de aarde, die ik duidelijk kan zien nu we door het wolkendek heen zijn gebroken.

Ik sla op tilt en begin als een waanzinnige te krijsen, terwijl de zwaartekracht me op mijn high impact ondergang af doet suizen. Dan vraagt de zwerver terloops: 'Heb je het koud?'

De belachelijke vraag doet me in razernij ontsteken. 'Wat bent u voor een idioot? Ik val zo meteen te pletter en u maakt zich druk over de temperatuur!'

'Geef antwoord,' reageert hij onaangedaan. 'Heb je het koud?'

'Nee. Maar wat heeft dat in gods–'

'Wat denk je, zou je het op deze hoogte niet koud

moeten hebben? Op de vleugel van dat vliegtuig was het rond de min veertig. Ieder normaal mens zou de bijtende vrieskou onmiddellijk hebben gevoeld. Jij niet, omdat de magie je warm hield. Ze kan je ook in de lucht houden – als jíj je concentreert.'

'Wat moet ik doen?' kreun ik, terwijl het landschap langzaam maar zeker mijn hele beeld vult, niet meer dan een halve minuut verwijderd van een bottenverbrijzelende doodsmak.

'Denk aan hoe een vogel vliegt en met een minimale beweging van zijn vleugels uit een duikvlucht komt,' antwoordt de zwerver. 'Je hoeft je niet te verbeelden dat je armen vleugels zijn of zo. Stel je gewoon een vogel voor en veranker het beeld in je gedachten.'

Ik doe wat hij zegt. Ik sluit mijn ogen en denk aan zwaluwen die door de lucht scheren. Ik heb ze vaak genoeg gezien, op weg van school naar huis of vanuit mijn slaapkamerraam, tussen de bovenste takken van het bos door. Wat ze doen ziet er simpel uit – een kleine beweging met hun kop of een vleugel, de luchtstromingen opzoeken, zich erop laten meevoeren alsof het de gewoonste zaak van de wereld is.

Mijn hoofd gaat omhoog. Het gebulder van de wind neemt af. Een nieuwe sensatie. Niet van vallen, maar van...

Ik doe mijn ogen open. Ik beweeg me van de aarde af, mijn armen langs mij zij, mijn benen gestrekt, hoofd naar de wolken, de zwerver naast me. Van *vliegen*.

'Zie je wel,' zegt de zwerver met een ondeugende grijns op zijn gezicht. 'Niks aan, toch?'

Hoog boven de aarde. Een schepsel van het luchtruim. Lachend en gillend van plezier. Ik vlieg op mijn buik, op mijn rug, op mijn zij... Ik maak salto's in de lucht, een achtbaan is er niets bij.

'Ongelooflijk!' roep ik naar de zwerver, die vlak bij me vliegt. 'Hoe doe ik dit?'

'Magie,' antwoordt hij.

'Maar het gaat vanzelf. Ik gebruik geen enkele bezwering.'

'Een echte tovenaar heeft meestal geen bezweringen nodig.'

Ik staar hem verbijsterd aan. 'Maar ik ben geen tovenaar.'

'Niet?' Hij knikt met zijn hoofd naar de aarde in de diepte. 'Hoe verklaar je dit dan?'

'Maar Derwisj zei... Ik heb nog nooit... Bartholomeus Garadex!' Ik gooi de naam er wanhopig uit.

'Je bent anders dan Bartholomeus Garadex,' zegt de zwerver. 'Je bent anders dan alle tovenaars die ik persoonlijk of uit verhalen ken. Maar je bent wel degelijk een tovenaar. Je haalt je macht direct uit het universum, net als de Demonata.'

De verwijzing naar de demonen doet me weer denken aan het vliegtuig en zijn ten dode opgeschreven passagiers.

'We moeten terug!' roep ik uit. Ik vervloek mezelf dat ik hier vrolijk en zorgeloos rondvlieg terwijl Lord Loss en zijn dienaren met een totale verwoesting bezig zijn. 'We moeten de mensen in het vliegtuig redden.'

De zwerver zucht. 'Ze zijn allemaal dood.'

'Dat kan niet! We moeten –'

'Ze zijn dood,' onderbreekt de zwerver me resoluut. 'En stel dat ze niet dood zijn, wat zouden we kunnen doen?'

'Vechten!' brul ik.

'Tegen Lord Loss?' Hij schudt zijn hoofd. 'Ik heb een hoop macht, knul, en jij ook, maar Lord Loss is een demonenmeester. In een gevecht met hem zouden we het niet lang volhouden.'

'We moeten het proberen,' fluister ik. Ik denk aan al die mannen, vrouwen en kinderen. Ik zie de Demonata en Juni Swan als beesten aan het werk. 'Als we ze in de steek laten...'

'We hebben ze al in de steek gelaten,' gromt de zwerver. 'Dat was de keus toen ik jou het toestel uit trok. Alle inzittenden zijn dood en het toestel is neergestort – of zal dat weldra doen – en daarmee is al het bewijs vernietigd.'

'U hebt ze de dood in gejaagd,' breng ik hijgend uit.

De zwerver haalt zijn schouders op. 'Als ik had gekund, zou ik ze hebben gered. Ik heb mijn leven gewijd aan het beschermen van de mensheid tegen de Demonata. Maar je kunt niet elk gevecht winnen. En soms moet je je bij voorbaat al gewonnen geven.'

We vliegen zwijgend verder. Ik denk na over de gebeurtenissen en de woorden van de zwerver. Ik voel me koud vanbinnen, en angstig. De gezichten van de mensen – de doden – staan op mijn netvlies gebrand. Maar stiekem ben ik blij dat we niet terug zijn gegaan, dat de zwerver me een tweede ontmoeting met de demonen heeft bespaard.

'Dit is waanzin,' mompel ik, terwijl ik naar de wereld onder ons kijk. 'Wie bent u? Wat deed u op het vliegtuig? Waarom achtervolgde u me? Ik dacht dat u een van de Lammeren was. Ik weet niets van u. Ik wil –'

'Later,' zegt de zwerver sussend. 'Als we eenmaal veilig op de grond zijn, zal ik al je vragen beantwoorden. Nu moeten we doorvliegen.'

En aangezien het geen zin heeft om tegen hem in te gaan, druk ik mijn armen stijver tegen mijn lichaam aan, vergroot mijn snelheid en ga de zwerver door het luchtruim achterna. Tevergeefs probeer ik de gezichten van de doden uit mijn gedachten te verdrijven.

We vliegen urenlang, het grootste deel van de tijd boven de wolken waar de mensen op de grond ons niet kunnen zien. Af en toe zie ik een vliegtuig, maar de zwerver blijft steeds op veilige afstand. Jammer. Ik zie het al voor me hoe ik eropaf vlieg, op een van de raampjes klop en de passagiers en de bemanning de schrik van hun leven bezorg.

Ik heb geen idee waar we zijn. Toen we vertrokken heb ik Juni niet gevraagd waar we heen gingen en ik heb geen idee hoe lang ik heb geslapen. Ik weet dus ook niet hoe ver van huis we waren toen de demonen ons aanvielen.

Juni...

Elke keer dat ik aan haar denk, laait de razernij op. Ik vertrouwde haar. Ik dacht dat ze aan mijn kant stond, dat ze als een moeder van me hield. Ondertussen belazerde ze mij. Liet ze me in Lord Loss' val lopen en dreef ze een wig tussen Derwisj en mij. Ik wil de zwerver uithoren over Juni. Weten waar ze vandaan komt, hoe ze opereert, waar ik haar kan vinden, zodat ik die duivelse heks kan opsporen en koud maken. Maar dit is niet het juiste moment. Ik heb de zwerver oneindig veel te vragen. Er is zo veel dat ik wil weten, zo veel waar ik achter moet zien te komen. Shit, ik heb hem nog niet eens zijn naam gevraagd!

Eindelijk, vijf of zes uur nadat ik uit het vliegtuig ben gesprongen, dalen we. De zwerver leidt me naar een verlaten woestijngebied, meer rotsen dan zand. Geen teken van mensen te bekennen. Het is misschien wel een uur geleden dat ik voor het laatst iets als een huis heb gezien.

'Nu komt het lastigste deel,' zegt de zwerver wanneer we moeten landen. 'Het gaat het makkelijkst als je even boven de grond blijft zweven en dan stopt met aan vogels te denken. Een paar seconden later val je omlaag.'

'Kunnen we niet gewoon als een vliegtuig landen?' vraag ik hem.

'Ik wel, maar ik heb dan ook veel geoefend. Als jij het probeert, kom je waarschijnlijk zo hard neer dat je een arm of een been breekt.'

Hij spreidt zijn armen, zweeft omlaag en komt zacht op zijn voeten neer. Ik kom in de verleiding om hem na te doen, om te bewijzen dat ik behendiger ben dan hij denkt. Maar het is een heel lange dag geweest en iets breken is wel het laatste waar ik behoefte aan heb. En dus blijf ik ongeveer een meter boven de rotsachtige bodem hangen en laat vervolgens de beelden van vogels uit mijn gedachten verdwijnen. Een paar seconden lang gebeurt er niets. Dan val ik plotseling omlaag. Mijn maag trekt samen.

Ik kom ongelukkig terecht en val voorover met mijn gezicht in het stof. Ik krabbel overeind, spuug het stof en het gruis uit mijn mond en veeg mijn wangen schoon. Dan sta ik op en kijk om me heen. Nergens een teken van leven te bekennen. Wat rotsachtige aardlagen en heuvels, een paar ritselende cactussen, meer niet. 'Waar zijn we?'

'Thuis,' antwoordt de zwerver en hij zet koers naar een van de heuvels.

'Wiens thuis?' vraag ik, terwijl ik haastig achter hem aan ga.

'Het mijne.'

'En u bent...?'

Hij blijft staan en kijkt verrast om. 'Je weet niet wie ik ben?'

'Zou ik dat moeten weten dan?'

'Derwisj heeft je toch wel...' Zijn stem sterft weg. Na een korte stilte lacht hij. 'Al die tijd wist je niet met wie je in de lucht was?'

'Ik wilde het vragen, maar het leek me niet het juiste moment,' zeg ik verongelijkt.

De zwerver schudt zijn hoofd. 'Ik ben Beranabus.'

De naam klinkt bekend, maar ik kan hem niet thuisbrengen. 'Beranabus hoe?'

'Gewoon Beranabus,' zegt hij en hij loopt verder. 'Vooruit. We hebben een hoop te bespreken, maar dat loopt niet weg. Ik voel me nooit veilig in het open veld.'

Ik kijk nerveus om me heen en haast me dan weer achter de haveloos geklede man aan. Een paar minuten later komen we bij de ingang van een grot. Aangezien ik onlangs een niet al te beste ervaring met grotten heb opgedaan, blijf ik staan en tuur wantrouwend de duisternis in.

'Het is in orde,' verzekert Beranabus me. 'Dit is een veilige plek. Hij wordt beschermd door zijn natuurlijke ligging en de krachtigste bezweringen die ik kon bedenken. Je hebt hier niets te vrezen.'

'Dat is makkelijk gezegd,' grom ik. Ik ben niet overtuigd.

Beranabus kijkt me lachend aan. Zijn verkleurde tanden staan schots en scheef in zijn mond. Van zo dichtbij kan ik zien dat zijn kleine ogen grijs van kleur zijn en dat de huid onder de dikke laag vuil en stof bleek is. Hij draagt een vies oud pak. Het enige aan hem wat er fris uitziet, is het kleine bosje bloemen dat in een van zijn knoopsgaten steekt.

'Als ik je iets had willen aandoen, had ik dat allang kunnen doen,' zegt hij. 'En ook nog eens veel makkelijker dan hier op de grond. Dat spreekt voor zich, lijkt me.'

'Dat weet ik,' mompel ik. 'Het is gewoon... Ik heb het niet zo op grotten.'

'Daar heb je alle reden toe,' zegt hij vol begrip. 'Maar dit is niet de grot in Carcery Vale. Hier ben je veilig. Erewoord.'

Ik aarzel nog een tel en haal dan mijn schouders op. 'Wat kan mij het ook schelen,' grom ik en ik loop voor Beranabus uit, alsof het me allemaal niets doet.

De grot is niet meer dan vijf meter diep. Ik bestudeer de wanden en de vloer, op zoek naar een uitgang, maar ik zie er geen. 'Leeft u hier als een monnik die niet in aards bezit gelooft?' vraag ik hem.

'Nee,' antwoordt Beranabus, terwijl hij langs me heen loopt. Hij legt een hand op de vloer en mompelt een paar magische woorden. Er verschijnt een gat. Aan de zijkant bevindt zich een touwladder, die in de duisternis verdwijnt.

Ik loop naar de rand van het gat en kijk zenuwachtig omlaag. Aan de muren zijn toortsen bevestigd, het is dus niet zo donker als ik eerst dacht. Maar het is een heel diep gat en de bodem is nauwelijks te zien.

'Ik dacht dat u had gezegd dat een tovenaar geen bezweringen nodig had,' zeg ik, om het moment waarop ik moet afdalen nog wat uit te stellen.

'*Meestal* niet,' brengt Beranabus me in herinnering. 'Er zijn situaties waarin zelfs de sterksten onder ons hun magische energie met behulp van woorden moeten concentreren.' Hij gaat op de rand zitten en zwaait zijn benen door het gat. Hij draait zich om, grijpt de ladder beet en laat zich in het gat zakken. Voordat zijn hoofd onder mijn voeten verdwijnt, kijkt hij omhoog. 'Het gat sluit binnen een paar minuten. Als je meewilt, zul je voort moeten maken.'

'Ik wacht alleen maar totdat u me niet meer in de weg zit,' antwoord ik vinnig. En wanneer zijn hoofd is verdwenen negeer ik mijn protesterende maag, neem plaats op de rand, draai me om en ga achter hem aan langs de slingerende ladder de diepte in.

Nog voordat ik op de bodem ben aangekomen, sluit het gat zich met een schurend geluid. Ik probeer er niet aan te denken dat ik van de wereld ben afgesloten. Eenmaal beneden kijk ik om me heen en kom tot de ontdekking dat ik me in een grote, helder verlichte grot bevind. Er staan stoelen, een bank, een lange tafel met een vaas met bloemen, een paar beelden, ladekasten en hier en daar liggen boeken en andere spullen. In het midden brandt een vuur. Ernaast zit een kale jongen met een donkere huid die zijn handen warmt.

'Ik ben er weer!' roept Beranabus.

'Dat heb ik gemerkt,' antwoordt de jongen zonder om te kijken.

'Ik heb iemand meegebracht.'

De jongen draait zijn hoofd een fractie. Hij heeft blauwe ogen en er ligt een zure uitdrukking op zijn gezicht. 'Ik dacht dat u hem zou doden.'

Ik verstijf als ik Beranabus zie fronsen. 'Ik heb gezegd dat ik hem *misschien* zou moeten doden.'

'Wat heeft dit –' begin ik kwaad.

'Later,' onderbreekt Beranabus me sussend. Hij wijst naar een deken die bij de muur op de grond ligt. 'Zorg dat je wat slaap krijgt. Dat ga ik ook doen. Daarna hebben we bij een warme maaltijd genoeg tijd om alles te bespreken.'

'U denkt dat ik kan slapen na alles wat er is gebeurd?' vraag ik snuivend.

'Dat weet ik wel zeker,' zegt Beranabus. 'Magie. Het enige wat je hoeft te doen is het je verbeelden en je zult slapen als een roos.'

'En als ik dat niet wil?'

'Je bent uitgeput. Je hebt slaap nodig om je te kunnen concentreren op ons gesprek en alle vragen te stellen die vast en zeker in je opborrelen. Zoals je er nu aan toe bent, ben je niet in staat mijn antwoorden in je op te nemen.'

Ik wil niet slapen. Ik wil onmiddellijk door naar de verklaringen. Maar hij heeft wel gelijk. Alleen al mijn ogen openhouden is op dit moment een mega-inspanning.

'Eerst nog één ding,' mompel ik. 'Derwisj en Bill-E. Is alles goed met ze?'

Beranabus haalt zijn schouders op. 'Ik denk het wel.'

'U weet het niet zeker?'

'Nee. Maar Lord Loss en Juni...' om de een of andere reden spreekt hij haar naam snerend uit '... weten niet waar we na het verlaten van het vliegtuig naartoe zijn gegaan. Ik neem niet aan dat Juni naar Carcery Vale gaat met het risico dat wij er al zijn.'

'Gaat u Derwisj waarschuwen?' vraag ik. 'Dat Juni voor Lord Loss werkt?'

'Ik kan niet meteen contact met hem opnemen,' antwoordt Beranabus, 'maar ik zal hem zo snel mogelijk inlichten. Tot die tijd zal hij het zelf moeten redden.'

Het is niet bevredigend, maar meer heeft hij niet te bieden. En aangezien ik kapot ben en zelfs als ik in topvorm was geweest niets kan doen, stommel ik naar de deken en ga er met al mijn kleren aan op liggen. Ik betwijfel of ik zo makkelijk in slaap kan vallen als Beranabus het heeft voorgespiegeld, maar zodra ik mijn ogen sluit en erover nadenk, voel ik dat ik wegzak. Binnen enkele seconden lig ik in coma.

De macht van het beest

Er wordt een versgebakken brood onder mijn neus gehouden. De geur van warme weldaad vult mijn neusgaten en met een glimlach word ik wakker. Enkele slaapdronken momenten lang denk ik dat ik bij Derwisj thuis ben, dat het zondagochtend is, geen school, geen zorgen, een heerlijke lange luie dag die zich voor me uitstrekt.

Dan open ik mijn ogen. Ik zie de gerimpelde vingers rond het brood en het bebaarde gezicht erboven. Ik herinner het me weer. In een oogwenk zijn de weldadige gedachten verdwenen.

'Hoe lang heb ik geslapen?' Ik gaap en kom kreunend overeind vanwege de pijn in mijn rug. Ik ben het niet gewend om op een stenen vloer te slapen.

'Uren,' antwoordt Beranabus en hij overhandigt me het brood.

'Acht? Tien? Twaalf?'

Hij haalt zijn schouders op.

Ik wil op mijn horloge kijken, maar vermoedelijk is het bandje in de nacht dat ik veranderde stukgegaan. Ik sta op, masseer mijn rug, strek me uit en kreun. 'Hebben jullie nooit van bedden gehoord?' vraag ik beschuldigend.

'Binnen een paar maanden ben je aan de vloer gewend.'

Ik kijk hem van opzij aan. Een paar máánden? Zo lang ben ik niet van plan hier te blijven. Maar voordat ik hem dat kan laten weten, loopt hij terug naar het vuur, waar de zuur kijkende jongen nog steeds op zijn hurken bij de vlammen zit. Ik loop achter hem aan, terwijl ik een stuk van het brood scheur en het naar binnen schrok. Het brood is hard en ik heb geen boter, maar ik heb zo'n honger dat ik zelfs blij zou zijn met een stuk karton.

Beranabus gaat naast de jongen zitten. Ik blijf staan en bestudeer het curieuze tweetal. De oude Beranabus en de tiener, niet veel ouder dan ik. De onverzorgde, bebaarde, harige tovenaar in zijn pak en de jongen – zijn leerling of bediende? – in versleten maar schone kleren en volkomen kaal. De donkere huid van de jongen is bezaaid met kleine littekens en vage blauwe plekken. Aan zijn linkerhand ontbreken de topjes van zijn pink en wijsvinger. In zijn ogen ligt een starende, ongelukkige uitdrukking. Hij draagt geen schoenen. Beranabus is ook blootsvoets, hij heeft zijn schoenen uitgetrokken.

'Grubitsch Grady, mag ik je voorstellen aan Kernel Fleck,' zegt Beranabus.

'Grubbs,' corrigeer ik hem en ik steek mijn hand uit. De jongen gromt alleen iets onverstaanbaars. 'Wat een aparte naam' zeg ik in een poging aardig te doen ondanks de koele ontvangst. 'Waar komt die vandaan?'

'Het is afkorting van iets,' antwoordt Beranabus na een paar seconden ijzige stilte, 'maar we weten geen van beiden meer waarvan.'

Kernel haalt zijn neus op en draait zich weer om

naar het vuur. Naast hem ligt een spies met worstjes. Hij pakt de spies op en klemt hem boven de vlammen vast. Hij prevelt een bezwering. Het vuur laait op en de worstjes zijn binnen enkele seconden gaar. Hij pakt er een af, blaast en eet het op. Dan pakt hij een tweede worstje van de spies en geeft het aan Beranabus. Hij aarzelt, neemt er dan een derde worstje af en geeft het aan mij.

'Bedankt,' zeg ik en ik neem een hap. Te heet, maar heerlijk. Uitgehongerd werk ik het worstje naar binnen en neem er dankbaar nog een in ontvangst.

'Kernel kookt meestal,' zegt Beranabus. In zijn ene hand heeft hij een worstje en met zijn andere hand pulkt hij het vuil onder zijn teennagels vandaan.

'Ik moet wel,' zegt Kernel. 'Als ik dat niet doe, zou hij alles rauw eten.'

'Als het eenmaal in je buik zit is het een pot nat,' zegt Beranabus snuivend. 'Warm, koud, gebakken, rauw... Het maakt allemaal niet meer uit als je boven een gat hangt.'

'Een gat?' vraag ik met gefronste wenkbrauwen.

'Geen wc,' zegt Kernel en hij kijkt Beranabus zuur aan.

Kernel roostert een aantal kippenpoten, weer met behulp van een bezwering. Ik vraag me af waar ze het eten vandaan halen, maar ik hou mijn mond. Hij stapelt ze op een stoffig gebarsten bord op en gaat verder met een stel ribstukken en aardappelen. Wanneer alles klaar is, pakt hij wat hij wil hebben en geeft het bord door.

Beranabus neemt een hap van zijn kippenpoot en kijkt me aan. 'Vertel me alles wat er de afgelopen maanden gebeurd is. Ik weet al een hoop, maar ik wil het volledige verhaal horen. Over het moment waarop je je realiseerde dat je lichaam veranderde, hoe de magie zich ontwikkelde, hoe je ermee bent omgegaan.'

'Ik dacht dat u mijn vragen ging beantwoorden.'

'Dat ga ik ook doen,' belooft hij. 'Maar jij eerst. Dat maakt het voor mij een stuk makkelijker.'

Terwijl we eten vertel ik hem wat er allemaal is gebeurd. Hoe ik op Slagtenstein mijn magische vermogens ontdekte en me ertegen verzette. De misselijkheid, de dreiging van de weerwolf en hoe ik er met magie tegen heb gevochten.

'Waarom heb je je in eerste instantie tegen de magie verzet?' onderbreekt hij me. 'De meeste mensen zouden het geweldig vinden.'

'Ik weet wat het met zich meebrengt,' zeg ik kalm. 'Magie staat in verbinding met de Demonata. Ik heb eerder kennisgemaakt met dat waanzinnige universum. Ik wilde er niet nog een keer naar binnen gezogen worden.'

Beranabus en Kernel wisselen een blik. Dan vraagt Beranabus me door te gaan.

Ik vertel hem over de grot in Carcery Vale die we hebben uitgegraven, hoe ik er onder invloed van het beest heen ben gegaan, het puin dat de ingang versperde heb verwijderd, Lochs ongeluk, Derwisj die alle sporen uitwiste, Juni die opeens verscheen.

'Wie is Juni?' vraagt Kernel aan Beranabus.

'Een van de helpers van Lord Loss,' antwoordt Beranabus en hij knijpt zijn ogen tot spleetjes. 'Eigenlijk is ze...' Hij stopt en schraapt zijn keel. 'We kunnen het later wel over juffrouw Swan en haar achtergrond hebben. Zou je verder willen gaan, Grubitsch?'

'Ik heet Grubbs,' corrigeer ik hem opnieuw en dan vertel ik over de laatste paar dagen en nachten, hoe de weerwolf de overhand kreeg en Bill-E's grootouders vermoordde, Juni die er als een haas met me vandoor ging en me in het vliegtuig uitleverde. Ik vertel het verhaal zo snel mogelijk, om er vanaf te zijn. Ik vertel niet alles, zoals de stem en het gezicht in de rotsen. Dat soort onbelangrijke details kan ik Beranabus later wel vertellen, denk ik.

Beranabus luistert zwijgzaam en wanneer ik uitgepraat ben, denkt hij een paar minuten na over wat ik heb verteld. Wanneer hij uiteindelijk een vraag stelt, klinkt daar dezelfde bezorgdheid in door als bij Derwisj toen die in de grot aankwam. 'De jongen die is gevallen, was dat werkelijk een ongeluk? Er was niemand anders –'

'Nee,' kap ik hem af. 'We waren alleen, wij drieën. Hij gleed uit, viel omlaag en overleed. Een ongeluk. Het had niets te maken met demonen of kwaadwillende magiërs.'

'Goed dan,' bromt Beranabus. 'Toen ik hoorde dat de ingang was uitgegraven en dat er iemand in de grot was doodgegaan, vreesde ik het ergste. Vooral omdat mijn waarschuwingsbezweringen niet hadden gewerkt. Ik had gewaarschuwd moeten worden op het moment dat het eerste rotsblok verwijderd werd. Ik dacht dat een machtige magiër een tegenbezwering had uitgesproken om de weg voor te bereiden voor een demoneninvasie. Ik ben er nog nooit zo snel vandoor gegaan.'

'Hij rende alsof zijn voeten in brand stonden,' zegt Kernel en hij glimlacht voor het eerst – maar het is een kort, dun glimlachje.

'Derwisj heeft me over die grot verteld,' zeg ik zacht. 'Dat die door demonen als oversteekplaats werd gebruikt. Hij zei dat de tunnel tussen de universums opnieuw geopend kon worden, dat de Demonata er met duizenden doorheen konden komen om onze wereld over te nemen. Denkt u dat Lord Loss en Juni...?'

'Nee.' Beranabus glimlacht wrang en toont zijn scheefstaande verkleurde tanden. 'Lord Loss is niet geïnteresseerd in tunnels tussen universums. De meeste demonen willen de mensheid vernietigen, maar Lord Loss leeft van menselijke ellende. Hij is er net zo op gebrand als wij dat de tunnel dicht blijft.'

Beranabus peutert met een kippenbotje tussen zijn tanden. Zijn adem stinkt. Eigenlijk stinkt alles aan hem. Hij geeft duidelijk niet om persoonlijke hygiëne. Na een tijdje legt hij het botje opzij en begint weer te praten. 'Vanwege de grot ben ik naar Carcery Vale gekomen, maar jij bent de reden dat ik ben gebleven. Ik voelde de kracht in je, hoe die op het punt stond zich te bevrijden. Ik wilde in de buurt zijn wanneer hij explodeerde – of wanneer jij implodeerde.'

'*Implodeerde?*'

'Je had erdoor verteerd kunnen worden. Als de magie geen uitweg had gevonden, dan had ze je vanbinnenuit vernietigd. Ik zou het pas weten als het volle maan was. Dan zou je tot het uiterste worden gedreven en zouden het beest en jij de zaak beslechten.

'De weerwolf is de sleutel,' vervolgt hij. 'De vloek

van de Grady's. Eeuwen geleden hebben je voorouders zich vermengd met demonen.'

'Wát?' piep ik. 'Dat is belachelijk!'

'Het komt niet vaak voor,' zegt Beranabus. 'En meestal gaat het ook niet tussen mensen en demonen. Maar soms wel. Wanneer een dergelijke vereniging plaatsvindt, zijn de nakomelingen onnatuurlijk. Mensen en demonen zijn niet bedoeld om zich te vermengen. Als ze dat wel doen, zijn hun kinderen gedrochten van de hoogste orde, mens noch demon, pijnlijk gevangen tussen de twee. De meeste sterven bij de geboorte. Maar er zijn er die het overleven.'

Zijn gezicht staat duister, de vlammen werpen er grillige schaduwen op. 'Er zijn er die opgroeien en gedijen, in het universum van de demonen of in het onze. Het kind van jouw voorouders was er een van. De magische lijn van de Demonata bleef verborgen, in ieder geval lang genoeg om het kind te laten opgroeien en zelf kinderen te laten krijgen. Toen de demonische afstamming eindelijk aan het licht kwam, veranderde het slachtoffer in een wolfachtig schepsel.'

'Het is dus de schuld van de Demonata,' grom ik en mijn haat voor hen laait weer op. 'Ik had die indruk al gekregen van Derwisj, maar ik wist het niet zeker.'

'Wiens schuld het is, kan ik niet zeggen,' reageert Beranabus. 'Dergelijke paringen worden vaak door mensen in gang gezet. Jouw voorouder deed wellicht de eerste toenadering, en vervolgens...'

Hij maakt een suggestieve spiraalbeweging met zijn vinger.

'Daar komt de bruid,' mompelt Kernel.

Beranabus kijkt in de vlammen en kiest zijn woorden zorgvuldig. 'Je bent een uniek exemplaar, zelfs voor een Grady. Voor zover ik weet heeft er nog nooit zo iemand bestaan. Magie is onvoorspelbaar, grillig en werkt bij iedereen anders. Maar er zijn bepaalde regels die altijd hebben gegolden – tot nu toe. Je hebt ze allemaal aan je laars gelapt.'

'Is dat goed of slecht nieuws?' vraag ik.

'Ik weet het niet. Het is de reden waarom ik niet meteen op je ben afgestapt. Ik wist niet hoe je zou veranderen, wat de magie zou doen wanneer die aan de oppervlakte kwam. En dan was Juni er natuurlijk ook nog. Ik wist niet hoe bevriend jullie waren, of jullie wisten wie ze diende.'

'Natuurlijk wisten we dat niet!' roep ik kwaad uit. 'Lord Loss heeft mijn ouders en mijn zus gedood. Denkt u nou echt –'

'Stil maar,' zegt Beranabus. 'Nu vertrouw ik je, maar eerst kon ik dat niet. Derwisj en jij hadden net zo goed kunnen samenspannen met Juni om mij in de val te lokken. Wie weet had Derwisj zelf de ingang uitgegraven om me naar Carcery Vale te lokken.'

'Leid u al lang aan achtervolgingswaan?' vraag ik hem cynisch.

'Lang geleden heb ik geleerd niemand te vertrouwen,' antwoordt hij stijfjes. 'Niet voordat die persoon heeft bewezen mijn vertrouwen waard te zijn. En dan nog hou ik hem in de gaten.'

'Ik ben al meer dan dertig jaar samen met Beranabus,' zegt Kernel. 'En nog komt het voor dat ik wakker word en hij me wantrouwend zit aan te kijken.'

'Meer dan dertig jaar?' Ik bekijk de jongen nog eens goed. 'Zo oud ben je toch niet?'

'Daar komen we later op,' zegt Beranabus voordat Kernel kan antwoorden. 'Laten we het eerst nog over jouw magie hebben. Waar was ik gebleven?'

'U was lyrisch aan het worden over hoe uniek hij wel niet was,' herinnert Kernel hem.

'O ja.' Beranabus' gezicht licht op. 'Bij tovenaars is hun magische gave altijd vanaf de geboorte al duidelijk. Ook als ze zich er zelf niet van bewust zijn, kunnen andere tovenaars hun potentieel voelen. Derwisj had jouw magie moeten zien, maar dat was niet het geval. Omdat jij het voor hem verborg. En ook voor jezelf.'

'Nietes. Ik wist dat ik magie bezat.'

'Dat wist je na Slagtenstein,' corrigeert Beranabus me, 'maar dat was niet het moment waarop het begon. Dit vermogen heb je vanaf je geboorte. Ergens is er een deel in je dat vanaf de dag dat je in deze wereld kwam weet wat je bent, maar het was bang. Het wilde de macht en de verantwoordelijkheid niet. En dus duwde het de magie zo ver mogelijk weg, naar een plek waar het niets kon doen en ook niet kon worden opgemerkt.

'Ik ken geen andere tovenaar die daartoe in staat is. Ze kunnen hun roeping ontkennen en weigeren hun talent te ontwikkelen, maar ze kunnen het niet volledig begraven. Jouw vermogen was echter zo groot, dat je als kind al instinctief in staat was je magie voor de wereld te verbergen. Als de familievloek van de Grady's er niet was geweest, zou je magie de rest van je leven daar begraven hebben gelegen en was er een groot talent verloren gegaan.'

'Van mij had het gemogen,' mompel ik kwaad.

'Dat moet je niet zeggen.' Beranabus kijkt me streng aan. 'Als de magie er niet was geweest, was jij nu een woest tekeergaand beest. De muur die je had opgetrokken tussen jezelf en je magische vermogen begon af te brokkelen bij je eerste ontmoeting met de demonen. Tijdens je gevecht met Lord Loss en zijn trawanten moest je een beroep doen op je innerlijke kracht. Daarna heb je je magie weer begraven, maar de barsten in je pantser bleven.

'Sindsdien is de magie zich in je blijven roeren en blijven zoeken naar een mogelijkheid om los te breken. Je hebt een hele tijd het deksel erop weten te houden, maar toen sloeg de vloek toe. De weerwolf trad op de voorgrond. Dat had het eind van Grubitsch Grady moeten zijn. Maar de tovenaar in je ging de strijd met de weerwolf aan. Je zei dat je je magie gebruikte om je tegen de verandering te verzetten, maar je vergist je – de magie gebruikte jou. Ze voorkwam dat jij een monster werd.'

'Nee, dat is niet waar,' zeg ik schuldbewust. 'Ik bén veranderd. Ik heb opa en oma Spleen gedood. De volgende keer dat het volle maan is en de weerwolf het weer overneemt, zal ik opnieuw doden.'

'Denk je dat echt?' vraagt Beranabus.

'Natuurlijk.' Ik kijk hem verward aan.

Hij schudt zijn hoofd. 'De invloed van de maan zal nooit meer sterker worden dan die nacht. Het beest heeft even de overhand gehad, maar je hebt het teruggedrongen. Het zal de kop weer opsteken, maar jij zult het weer verslaan. De tweede keer zal het makkelijker zijn. Het beest zal altijd in je blijven, grauwend en blazend, en proberen los te breken wanneer de maan haar sirenenzang laat horen. Maar jij bent de baas. Jij hebt gewonnen.'

'Ik heb helemaal niet gewonnen!' bijt ik hem toe. 'Ik heb Bill-E's grootouders gedood. Dat is geen winnen. Ook al blijf ik het voorgoed de baas, ik heb al gedood. Hoe kunt u dan zeggen dat alles in orde is? Voor u is de moord op de grootouders van je halfbroer misschien een kleinigheid, maar voor mij niet. Zeg dus niet...'

'Leer hem hoe hij het zich kan herinneren,' onderbreekt Kernel me. 'Ik heb geen zin om uren naar zijn geraas en getier te luisteren. Leer hem de bezwering. Laat hem zien hoe het écht in zijn werk is gegaan. Dan houdt hij tenminste zijn mond.'

'Waar heb je het over?' snauw ik.

'Een bezwering waarmee je je kunt herinneren wat er tijdens je transformatie is gebeurd,' zegt Beranabus.

'En waarom zou ik me dat willen herinneren?'

'Om de waarheid te weten te komen.'

'Maar ik weet al...'

'Leer hem verdomme gewoon die bezwering,' snauwt Kernel.

Ik voel me niet op mijn gemak. Ik wil die moorden niet opnieuw beleven, maar mijn nieuwsgierigheid is gewekt en dus speel ik mee. Beranabus zegt dat ik mijn ogen moet sluiten en me op mijn ademhaling moet concentreren. Ik adem in... hou mijn adem vijf seconden vast... en adem uit. Wanneer ik het juiste ritme te pakken heb, vertelt hij me welke woorden ik moet gebruiken. Hij knipt ze op in eenvoudige lettergrepen zodat ik ze kan herhalen, ook al heb ik geen idee wat ze betekenen.

Naarmate ik het eind van de bezwering nader, vormt zich in mijn gedachten een projectiescherm. Het is het enorme televisiescherm van thuis. Leeg, grijs, alsof de televisie uitstaat. Ik sta op het punt tegen Beranabus te zeggen dat er geen signaal is, wanneer het scherm begint te flikkeren. Lichtuitbarstingen. Statisch. En dan...

De grot. Net nadat de waterval in één grote ijsmassa is veranderd. Ik zie alles door de ogen van het beest. Ik sta in elkaar gedoken te janken en kijk met toegeknepen ogen naar het licht van Juni's zaklantaarn, terwijl ze aarzelend op me af komt. Het is gestoord, maar ondanks alles wat ik nu van haar weet, heb ik met haar te doen. Ik wil dat ze vlucht voordat de wolf aanvalt. Ik wil bijna iets roepen, maar dan herinner ik me dat dit een herhaling is en geen livegebeuren.

In de grot gaat Juni vlak voor me staan en ze kijkt me koel aan. 'Eindelijk is de grote Grubbs Grady dan veranderd,' sneert ze en ze spuugt op me. 'Armzalig schepsel! Als je wist hoe ik het de afgelopen weken gehaat heb om aardig te moeten doen tegen jou en die bastaard van een oom.'

Het beest brult naar haar en heft zijn vuisten om haar tot moes te slaan. Dit keer steun ik de weerwolf, wil ik dat hij die achterbakse heks vermoordt. Maar voordat hij kan toeslaan, heeft Juni een snelle bezwering uitgesproken. Hij valt neer, rolt gesmoord grommend en jankend over de grond en blijft dan huiverend liggen.

'Zo,' zegt Juni met een gemaakt lief glimlachje. 'Daar ben je wel even mee zoet.'

Ze legt de zaklantaarn neer en loopt om me heen. Ze inspecteert me aan alle kanten en haalt dan een groot mes tevoorschijn – uit onze keuken! – en legt het naast mijn hoofd neer. Het beest probeert te huilen, maar het lukt niet. Juni loopt naar de scheur die ik in de rotswand heb gemaakt, die langs de waterval omhoog loopt. Ze kijkt naar het ijs, dan naar mij, bezorgd. Ze schudt haar hoofd en begint te chanten. Ik luister er een paar minuten naar.

Wanneer het chanten maar niet ophoudt, zeg ik zonder mijn ogen te openen: 'Kun je dit ook snel doorspoelen?'

'Wat gebeurt er?' vraagt Beranabus.

'Ik ben in de grot. Ik ben veranderd. Juni is met een of andere ingewikkelde bezwering bezig.'

'Waarschijnlijk om Lord Loss aan te roepen,' merkt Beranabus op. 'Probeer dit maar eens.'

Hij leert me een aantal nieuwe woorden. Zodra ik ze heb nagezegd, vervaagt het beeld. Na wat geknetter en geflakker wordt het weer helder. Juni is nog steeds aan het chanten, maar nu staat ze over mij heen gebogen. Geen teken van Lord Loss, maar de rotswand aan weerszijden van de scheur is rood en geel. Het ijs is gesmolten en weer een normale waterval geworden. Het is verstikkend heet in de grot. Het beest dat ik ben geworden zweet.

Juni heft het mes. Ze knielt naast me neer, zet de punt tegen de linkerkant van mijn hals en maakt met een snelle beweging een snee. Het bloed spuit eruit en druipt langs het mes omlaag. Ik verstijf – ik als de weerwolf die ik was en ik als wie ik nu ben. Maar dan brengt Juni haar gezicht bij de snee, blaast erop en de wond sluit zich. Ze legt het mes tegen de andere kant van mijn hals en doet daar hetzelfde. Vervolgens loopt ze met het bloedrode lemmet naar de scheur in de rotswand.

'Wat gebeurt er?' vraagt Beranabus en ik beschrijf hem het tafereel. 'Vreemd. Ik heb nog nooit gehoord dat een demon op zo'n manier werd aangeroepen. Maar Lord Loss is ook een geval apart. Niemand weet waarom hij de enige demonenmeester is die naar onze wereld kan oversteken, of hoe hij het doet. Hij moet haar een speciale methode geleerd hebben.'

Juni smeert mijn bloed op de rots aan de binnenkant van de scheur, eerst de ene kant en dan de andere. Ze doet een stap naar achter en begint opnieuw te chanten, steeds luider, met haar armen opzij gestrekt. Ze eindigt met een triomfantelijk gehuil en springt dan een heel eind weg van de scheur, waar ze met haar handen voor de ogen blijft staan.

Er gebeurt niets.

Juni laat haar armen zakken en kijkt een hele tijd naar de scheur, dan naar het mes en ten slotte naar mij. Ze loopt op me af en kijkt verward omlaag.

'Juni...' De woorden komen van diep in de rotsen. Ik weet meteen wie het is. Lord Loss. 'Juni...' roept hij opnieuw, van verre, hongerig, angstig.

Juni loopt terug naar de scheur en begint snel, gedempt te praten. Ik kan haar niet verstaan. Maar dan sist Lord Loss een naam en ik verkil tot op het bot. '*Billy Spleen...*'

Juni buigt zich, legt het mes neer en kijkt me met een vuile grijns aan. 'Verroer je niet, beestje. Straks zal ik me met jou bezighouden.'

Ze gaat weg, zonder de zaklantaarn.

Op de grond ligt de weerwolf. Hij worstelt om zich uit zijn magische ketenen te bevrijden. Na een tijdje blijft hij roerloos liggen. Zijn handen beginnen te gloeien. De gloed verspreidt zich langs zijn armen, bereikt zijn borst en gezicht en stroomt dan omlaag de rest van zijn lichaam in.

De weerwolf komt overeind en houdt zijn hoofd scheef, alsof hij iemand hoort praten. Dan gromt hij alsof hij ergens mee instemt, stuift naar de uitgang en klimt omhoog.

Terwijl het beest door het bos strompelt, vertel ik Beranabus en Kernel wat er gebeurt.

Beranabus kan niet wijs worden uit Juni's gedrag. 'Het lijkt alsof ze Lord Loss heeft proberen op te roepen. Om de een of andere reden werkte de bezwering niet. Maar ik snap niet wat het bloed van die andere jongen zou uitmaken.'

'Ik denk niet dat ze Bill-E voor die bezwering nodig had,' mompel ik. 'En ik denk ook niet dat de bezwering mislukte. Lord Loss heeft haar gestopt. Hij wilde dat Bill-E in de grot was wanneer hij de oversteek maakte, zodat hij ons alle twee kon doden.'

'Mogelijk,' zegt Beranabus, maar hij klinkt niet overtuigd.

De achtervolging komt tot een einde. Het beest arriveert bij het huis van Bill-E. De achterdeur staat open. De wolf stormt naar binnen en ziet hoe Juni de bewusteloze Bill-E Spleen optilt. Opa en oma Spleen zijn dood. De weerwolf huilt naar Juni. Ze laat Bill-E vallen wanneer het beest springt. Ze vechten – mijn getransformeerde zelf die met zijn tanden en klauwen naar de albino uithaalt, en Juni die geen tijd heeft voor bezweringen en dus met haar fysieke lichaam terugvecht. Ze schreeuwt mijn naam en het beest brult. Ze blijft mijn naam maar roepen, elke keer wanhopiger.

Uiteindelijk, wanneer Juni een minuut lang heeft staan schreeuwen, laat de weerwolf haar gaan. Ze wankelt achteruit, bloedend en verbijsterd. Het beest gromt kwaadaardig en gaat resoluut tussen Juni en Bill-E in staan om de weerloze jongen te beschermen. Dan vervaagt het beeld. Ik voel dat het schepsel verandert. Juni slaakt een zucht van opluchting, spreidt haar armen en begint snel te praten, zogenaamd bezorgd. 'Grubbs?' hijgt ze. 'Ben jij dat?'

Ik open mijn ogen en het scherm in mijn hoofd verdwijnt. Ik staar Beranabus met open mond aan. 'Ik heb ze niet gedood,' fluister ik. 'Ik heb geprobeerd ze te redden. Ik heb Bill-E beschermd. *Ik heb ze niet gedood!*' De laatste woorden komen er snikkend uit. Ik buig me voorover en huil van opluchting. Al het andere is vergeten. Ik ben eeuwig dankbaar dat ik weer de onschuldige Grubbs Grady ben – en niet de verachtelijke moordenaar die ik dacht te zijn.

De veteraan

Wanneer ik ben uitgehuild is mijn eerste opwelling om onmiddellijk naar Carcery Vale te gaan en Derwisj en Bill-E te waarschuwen dat ze in gevaar zijn.

'Dit gesprek hebben we al eens gevoerd,' zegt Beranabus zuchtend.

'Dat kan me niet schelen,' snauw ik. 'Ik was niet het enige doelwit van Juni – ze ging ook Bill-E halen. Misschien gaat ze niet meteen terug naar Carcery Vale, maar ze kan Derwisj makkelijk bellen en naar mij vragen. Als ze dan ontdekt dat hij niet weet waar ik uithang of wat er in werkelijkheid is gebeurd, kan ze teruggaan en...' Ik schud woest met mijn hoofd en probeer niet te denken aan al het vreselijks dat er kan gebeuren. 'We moeten terug en ze waarschuwen.'

'Nee,' zegt Beranabus zacht. 'Hun welzijn is niet mijn zorg.'

'Hoe kunt u dat zeggen?' krijs ik. 'Derwisj is uw vriend.'

'Nee. Als hij al iets van mij is, dan is hij een werknemer.'

'Wat wilt u daar–?' Eindelijk dringt het tot me door waar ik Beranabus' naam eerder heb gehoord. Derwisj had zijn naam genoemd, toen hij me uitlegde wat voor werk hij deed. En toen hij me vertelde over de waarschuwingsbezweringen bij de grot, had ik het kunnen weten. Mijn hoofd tolt. 'U bent de chef van de Discipelen,' mompel ik.

'Zo zou ik het zelf niet formuleren,' snuift Beranabus. 'Ik heb niet veel met hen te maken. Zo nodig maak ik gebruik van de Discipelen, maar door de bank genomen bevecht ik de Demonata in hun universum, alleen.'

'Niet helemáál alleen,' zegt Kernel beledigd.

Beranabus maakt een achteloos gebaar naar Kernel en richt zich dan weer tot mij. 'Ik heb de Discipelen niet in het leven geroepen. Ze kwamen naar mij, omdat ze een leider zochten en getraind wilden worden. Ik roep af en toe hun hulp in, maar verder stel ik geen belang in hun organisatie.'

'Maar Derwisj is een van uw mensen,' betoog ik. 'Hij zei dat u hem naar Carcery Vale hebt gestuurd om de grot te bewaken. U bent verantwoordelijk voor hem.'

'Geen sprake van!' blaft Beranabus. Hij strijkt zijn lange haar uit zijn gezicht en kijkt me kwaad aan. 'Ik heb Derwisj naar Carcery Vale gestuurd, net als een aantal anderen vóór hem, om in de gaten te houden of er demonen of hun menselijke dienaren in de buurt van de grot komen rondneuzen, en het mij dan onmiddellijk te laten weten. Al het andere in zijn leven was ondergeschikt aan die opdracht. Hij had mijn instructies moeten opvolgen, zich op de achtergrond moeten houden, zich niet moeten bemoeien met een demonenmeester als Lord Loss. Hij heeft dit over zichzelf afgeroepen. Ik heb geen tijd om me in persoonlijke conflicten te mengen. Lord Loss heeft niets met de grot te maken en dus kan het mij niet schelen wat hij met Derwisj doet.'

'U bent een monster,' sneer ik. 'U bent geen haar beter dan de Demonata.'

'Misschien niet,' geeft Beranabus toe. 'Maar de Discipelen begrijpen dat er in het universum krachten aan het werk zijn die veel belangrijker zijn dan al het andere in hun leven. Zij accepteren dat ze persoonlijke noden achter zich moeten laten om zich te concentreren op de goede zaak waartoe ze geroepen zijn.'

'Ik doe niet aan nobele zaken,' kaats ik terug. 'Ik geef om Derwisj en Bill-E. Meer niet. Zij zijn voor mij belangrijker dan al het andere, zelfs de veiligheid van deze godvergeten wereld.'

'Hij is dom en arrogant,' zegt Kernel, terwijl hij me ijzig aanstaart. 'Hij ziet het totaalplaatje niet. Het was een vergissing om hem hierheen te brengen. Stuur hem weer terug. Laat hem maar creperen in de handen van Lord Loss.'

'Jij hebt daar niets over te zeggen,' zegt Beranabus met vlammende ogen. 'Vergeet je plaats niet. Je bent hier om te dienen.'

'Maar het is wel waar,' zegt Kernel mokkend.

Beranabus haalt diep adem en kijkt dan weer naar mij. 'Wat ik je probeer uit te leggen,' zegt hij en hij weet zijn woede maar nauwelijks te bedwingen, 'is dat Derwisj niet zou willen dat wij halsoverkop terugkwamen. Hij weet hoe belangrijk mijn werk is en dat ik me niet bezighoud met schermutselingen – want dat zijn het. Hij verwacht ook niet dat ik hem te hulp schiet. Deze onenigheid met Lord Loss en Juni Swan is door zijn eigen toedoen ontstaan en hij moet zich er zelf uit zien te redden. Dit gezegd hebbende,' vervolgt Beranabus, en hij verheft zijn stem om me de mond te snoeren, 'zal ik hem zoals beloofd een bericht sturen. Ik kan hem nu niet direct bereiken – vanaf deze plek zijn er geen eenvoudige manieren om contact op te nemen met de buitenwereld – maar bij de eerste gelegenheid zal ik hem op de hoogte brengen van Juni's verraad en het gevaar waarin hij verkeert. Meer kan ik niet doen. En meer zou Derwisj ook niet verwachten.'

'Heel fijn,' grom ik en ik sta op. 'Maar ik ben niet een van uw Discipelen en ik hoef me dus ook niet aan uw regeltjes te houden. Ik ga nu weg om hem te waarschuwen. Als u zo vriendelijk zou willen zijn me de juiste richting te wijzen...' Ik kijk hem uitdagend aan, voorbereid op een woordenstrijd.

Beranabus glimlacht flauwtjes. 'Als je de grot eenmaal hebt verlaten is de oostelijke route de snelste. Het is een lange, zware wandeling. De zon is meedogenloos, er zijn maar een paar bronnen en die liggen ver uiteen. En er is vrijwel niets te eten te vinden. Een ervaren reiziger of een tovenaar brengt het er misschien levend vanaf. Maar jij bent geen ervaren reiziger en je weet ook je magische kracht niet volledig te benutten. Binnen een week ben je dood. Maar als je ondanks dat een poging wilt wagen, ga je gang. Ik hou je niet tegen.'

'Mooi,' zeg ik scherp. 'Dan ga ik maar.'

Ik loop naar de touwladder, maar Kernel houdt me tegen.

'Grubitsch... Grubbs. Het is waar wat hij zegt. Het gaat je niet lukken. Het kost je je leven.'

'Ik sterf liever terwijl ik het probeer, dan dat ik blijf leven terwijl Derwisj en Bill-E worden afgeslacht.'

'Het heeft geen zin,' dringt Kernel aan. 'Stel dat je het overleeft, dan nog kost het je weken om de bewoonde wereld te bereiken. Derwisj komt het sneller via ons te weten. We krijgen regelmatig Discipelen op bezoek. Morgen of overmorgen kan er al een op de stoep staan. Je bereikt niets door jezelf op te offeren. Wil je dat we je oom moeten vertellen dat je je leven hebt verspild aan een zinloze onderneming? Hoe zou hij dat vinden, denk je?'

Ik staar Kernel met een kille blik aan en draai me dan om naar Beranabus. 'Zweert u dat u het hem zo snel mogelijk laat weten?'

De tovenaar knikt. 'Zoals Kernel al zegt, ontvangen we verschillende bezoekers per jaar. Wanneer de volgende Discipel komt, geef ik hem of haar een bericht mee voor Derwisj.'

'Stel dat het maanden duurt voordat er iemand komt?'

Beranabus antwoordt niet.

Ik denk na. Overweeg de voors en de tegens. Probeer te bedenken wat Derwisj zou willen dat ik deed. Uiteindelijk kom ik tot de conclusie dat het geen zin heeft om weg te gaan.

'Oké.' Ik zucht en neem mijn plaats bij het vuur weer in. 'Het staat me niet aan, en als Derwisj of Bill-E iets overkomt, reken ik het jullie aan. Maar ik zal jullie vertrouwen. Ik weet niet of ik er goed aan doe. Zo niet, vette pech. En dan zou ik nu graag willen weten waarom u me hierheen hebt gebracht.'

Beranabus lacht. 'Verdomd als het niet waar is, ik

mag jou wel! Je gaat recht op je doel af en je neemt geen blad voor de mond. Ik weet zeker dat je me een hoop ergernis zult bezorgen, maar ik verheug me op je gezelschap.'

'Laat die complimenten maar zitten,' grom ik. 'Vertel me gewoon maar wat ik hier doe.'

'Goed dan. Zoals ik je al heb verteld, heb ik weinig met de Discipelen te maken. Zij houden zich hoofdzakelijk met onbelangrijke zaken bezig. Ze voorkomen dat er af en toe wat demonen oversteken en beperken de schade als het ze wel lukt. Maar welbeschouwd heeft dat niet veel te betekenen. Een paar honderd slachtoffers... een paar duizend... zelfs een paar miljoen... Wat maakt het uit?'

Ik gaap de oude zwerver aan en kijk dan naar Kernel. 'Meent hij dat?'

'Ik zou hem maar geloven,' zegt Kernel op gedempte toon, terwijl hij Beranabus een donkere blik toewerpt.

'Ik kan geen tijd verspillen met me zorgen maken over een paar doden,' verdedigt Beranabus zichzelf. 'Ik heb belangrijkere dingen te doen.'

'Wat is er belangrijker dan mensenlevens redden?' vraag ik uitdagend.

'De wereld redden,' antwoordt Beranabus zonder een greintje ironie. 'De meeste demonen die ons universum bereiken zijn zwak. Het is voor een sluwe demon relatief makkelijk om – met de hulp van een menselijke handlanger – een venster te creëren tussen hun universum en het onze. Maar de meesters kunnen zich daar niet doorheen wringen. Af en toe kan er een tunnel worden geopend, zoals die in Carcery

Vale, zodat ook krachtigere demonen kunnen oversteken. Maar het grootste deel van de tijd zijn het alleen de zwakste demonen en die houden het niet langer dan een paar minuten uit. Ze zijn hinderlijk,
inderdaad, maar ze zijn geen bedreiging voor het
voortbestaan van de mensheid.

'Ik concentreer me op de dreiging van de monsters
die meer macht hebben, de monsters die de hele mensheid kunnen uitroeien. Zij zijn voortdurend op zoek
naar mogelijkheden om over te steken. De Discipelen komen in actie op het moment dat op deze wereld een oversteekpoging aan het licht wordt gebracht, maar een dergelijk risico kan ik met de
meesters niet lopen. Ik moet zo'n dreiging met wortel en al uitroeien. Zodoende werken Kernel en ik in
het universum van de Demonata. In tegenstelling tot
de Discipelen brengen we maar weinig tijd in deze
wereld door. We mengen ons onder de demonen, be-
spioneren ze, onthullen hun plannen in een zo vroeg
mogelijk stadium en verijdelen ze. We zaaien verdeeldheid tussen demonen die samenwerken. We lokaliseren en vernietigen de plekken waar een tunnel
gebouwd zou kunnen worden. Het is moeilijk werk.
Het is een voortdurende strijd en de gevechten zijn
meedogenloos.'

'Meedogenloos,' herhaalt Kernel fluisterend.

'Het is een afschuwelijke onderneming,' zegt Beranabus. 'Je zou het zelfs een vloek kunnen noemen.
Maar het moet gebeuren. De Demonata zijn een
voortdurende bedreiging. Degenen onder ons die
machtig genoeg zijn om ze binnen hun eigen universum te houden, hebben niet de vrijheid om te kiezen.

Als Kernel en ik ze niet in hun wereld bevechten, zullen de demonenmeesters oversteken en de gevechten in onze wereld losbarsten – met als gevolg dat iedereen omkomt.

'Zodra ik hoorde dat de ingang van de grot was blootgelegd, zijn we naar Carcery Vale gegaan. Zoals ik je al heb verteld, hadden mijn waarschuwingsbezweringen onmiddellijk in werking moeten treden, maar om de een of andere reden is dat niet gebeurd. Toen Derwisj ons een bericht zond, zijn we er halsoverkop naartoe gegaan. Ik was bang dat het het werk van de Demonata was en dat ik te laat was om ze nog tegen te houden. Tot mijn opluchting wees niets op hun aanwezigheid.'

'En Lord Loss dan?' roep ik uit. 'En Juni?'

'Om hen maakte ik me geen zorgen. Lord Loss wil geen tunnel openen. Hij heeft liever dat alles bij het oude blijft. Ik heb overwogen het met Derwisj over Juni te hebben, maar ik wist niet of ik hem kon vertrouwen. Voor hetzelfde geld had hij zich aangesloten bij haar duistere zaakjes en probeerden ze me samen in de val te laten lopen.'

'Dat zou Derwisj nooit doen,' grom ik.

'Waarschijnlijk niet,' stemt Beranabus in. 'Maar hij zou door haar betoverd kunnen zijn. Het had gekund dat ze hem gebruikte om mij een slag toe te dienen. Ik besloot mijn aanwezigheid niet prijs te geven. Ik stuurde Kernel terug hierheen en verborg me, om te zorgen dat de demonen de grot niet gebruikten. Ik was van plan de ingang weer dicht te storten, Derwisj over Juni te vertellen en dan weer weg te gaan. Maar toen zag ik jóú...'

Mijn nekharen gaan recht overeind staan. Ik ben niet gek. Ik weet precies waar dit heen gaat. Maar ik zeg niets. Ik doe alsof ik niets doorheb, in de hoop dat ik het bij het verkeerde eind heb. Ik wil hem niet op ideeën brengen – maar ik weet zeker dat ik hem niets nieuws zou vertellen.

'Je had je magie meesterlijk verborgen,' zegt Beranabus, 'maar tegen de tijd dat ik arriveerde waren er scheuren ontstaan. Ik kon het erdoorheen zien schijnen.'

'Derwisj en Juni niet,' mompel ik. 'Juni heeft me getest, ze ging op zoek naar mijn magie, maar ze kon niets vinden.'

'Natuurlijk wel,' blaft hij. 'Je hebt nog steeds niet al haar trucjes doorzien. Ik neem het je niet kwalijk. Als je iemand vertrouwt is het ook moeilijk die persoon te zien voor wie hij werkelijk is. Je weet dat Juni de hele tijd tegen je samenspande, maar je denkt nog steeds aan haar als een vriendin.

'Juni is veel machtiger dan Derwisj. Zij weet dat de magie er was. Dat testen was alleen maar om na te gaan hoe sterk je was, hoeveel dreiging er van je uitging, zodat Lord Loss en zij hun aanvalsplan konden maken. Ik denk niet dat ze alles te weten is gekomen wat ze van je wilde weten. Daarom besloten ze je in de grot te pakken te nemen. Ze kozen een magische plek, waar Lord Loss meer macht zou hebben. Toen je ontsnapte, schakelden ze over naar een vliegtuig, vanuit de gedachte dat je hoog in de lucht niet zou kunnen ontsnappen. In het ergste geval konden ze het toestel laten neerstorten en je op die manier doden. Juni heeft je aan een stuk door gemanipuleerd. Ze heeft je je geheimen ontfutseld, je zwakke plekken blootgelegd, om die tegen je te kunnen gebruiken. Ze is een doortrapte helleveeg. Ze heeft Derwisj en jou op slinkse wijze uit elkaar gedreven. Ze heeft zelfs de Lammeren opgetrommeld om je te laten geloven dat hij je aan de Gradybeulen zou uitleveren.'

'U bedoelt dat hij dat niet heeft gedaan?' Ik gaap Beranabus aan, lijkbleek.

'Natuurlijk niet,' bromt Beranabus. 'Je kent je oom. Je hebt gezien hoe hij heeft gevochten om je broer te redden. Hij zou voor jou hetzelfde hebben gedaan. Hij is er niet de man naar om zijn dierbaren zomaar op te geven.'

Ik word ijskoud vanbinnen. Ik dacht dat Derwisj me had verraden, terwijl in werkelijkheid ik de verrader was. Ik had moeten weten dat hij de Lammeren niet zomaar zou bellen, zonder overleg. Derwisj was altijd eerlijk tegen me geweest, vanaf het moment dat hij me in het gesticht was komen opzoeken en had gezegd dat hij wist dat de demonen echt waren.

'Wat ben ik dom geweest,' mompel ik.

'Inderdaad,' zegt Beranabus. 'Maar we doen allemaal wel eens iets doms. Dat hoort bij mens-zijn. Maar daar gaat het nu niet om. Wat ik wilde zeggen...' Hij fronst en kijkt Kernel vragend aan.

'U had net het stralende magische licht Grubbs Grady ontdekt,' zegt Kernel droog en ik realiseer me dat hij jaloers is.

'Natuurlijk. Vergeef me. Ik raak de draad van mijn gedachten zo snel kwijt. De ouderdom en meer gevechten met de Demonata dan ik me wil herinneren...

Goed, ik stond dus op het punt uit Carcery Vale te vertrekken, tevreden dat er nergens demonen op de loer lagen, toen ik jóú zag. Ik zag je magie, de innerlijke strijd die zich in je afspeelde, de macht waarover je kon beschikken als je het overleefde. Het komt niet vaak voor dat ik zo'n veelbelovende vondst doe.

'Ik bleef om te zien hoe het zich zou ontwikkelen. Ik bespiedde je en liet mijn gezicht af en toe zien; ik hoopte dat jouw magie reageerde op de mijne. Ik probeerde de kaarten in mijn voordeel te steken. Ik kan me wel verontschuldigen, maar dat zou schijnheilig zijn.'

'Maak uw verhaal liever af,' snauw ik.

'Er is verder niet veel te vertellen. Als ik jou niet volgde, bespioneerde ik Derwisj en Juni. Ik wist dat die heks niets goeds in de zin had, maar wat ze precies van plan was wist ik niet. Toen zag ik de Lammeren arriveren. Vervolgens brak jij los uit de ondergrondse kelder. Ik volgde je naar de grot, maar ging niet naar beneden; Juni zou mijn aanwezigheid hebben gevoeld. Ik wachtte terwijl zij de grot inging, jou onder handen nam en weer wegging. Toen zag ik je de grot uit komen. Ik ging je achterna naar het huis van je broer, en vervolgens naar het vliegveld. Toen ik me realiseerde dat Juni met je op een vliegtuig wilde stappen, vermoedde ik wat ze van plan was en ging jullie achterna.'

'U had haar kunnen tegenhouden,' zeg ik ijzig. 'U wist dat ze de andere passagiers zou doden. U had kunnen aanvallen. Me uit haar klauwen kunnen bevrijden voordat we aan boord gingen.'

'Nee,' zegt hij. 'Ik wist het niet zeker. Voor hetzelfde geld had ze niet toegeslagen in het vliegtuig. Ze had je naar een of andere plek kunnen brengen waar je Lord Loss zou ontmoeten. Misschien spande je wel met haar samen. Ik heb alle mogelijkheden tegen elkaar afgewogen en uiteindelijk besloten te wachten. Het was de juiste beslissing en als ik het moest overdoen, zou ik het precies hetzelfde doen.'

Hij kijkt kwaad naar de walging die op mijn gezicht staat te lezen en wuift de hele toestand weg. 'En daar zitten we dan,' zegt hij. 'Einde verhaal.'

'Niet helemaal,' zeg ik. 'U hebt nog steeds niet gezegd wat u van mij wilt, waarom u me hebt gered en hierheen hebt gebracht.'

Beranabus fronst. 'Is dat dan niet duidelijk?'

'Jawel. Maar ik wil het uit uw mond horen.'

'Goed dan. Je bent een tovenaar. Ik wil dat je mijn assistent wordt, net als Kernel, dat je samen met ons het universum van de Demonata doorkruist en de rest van je leven aan mijn zijde blijft om demonen te doden.'

De monoliet

Ik zit met gekruiste benen op mijn deken, voorovergebogen, mijn vingers in elkaar gestrengeld. Beranabus zit aan zijn tafel en bladert mompelend en af en toe fluitend door zijn papieren. Kernel is zijn spieren soepel aan het maken, aan het rekken en strekken. Binnenkort trekken ze weer ten strijde tegen de demonen. Ze gaan ervan uit dat ik met hen meega.

Het is gestoord. Ik heb tegen Beranabus gezegd dat ik het niet doe. Mijn eigen wereld verlaten? De wereld van de Demonata ingaan? Elke dag tegen monsters als Lord Loss vechten? Van ze lang zal ze leven niet!

Beranabus was er niet tegenin gegaan. Hij had alleen zijn schouders opgehaald en gezegd dat we allemaal onze eigen beslissingen in het leven moeten nemen, en ging zich toen klaarmaken. Ik ben nog een tijdje bij het vuur gebleven, heb zit kijken naar hoe ze zich aan het voorbereiden waren. Ben toen hier gaan zitten, en daar zit ik nu al een halfuur, zwijgend en verlamd.

Kernel is klaar met zijn strekoefeningen. Hij buigt voorover, raakt zijn tenen aan en zweeft dan omhoog. Maakt langzaam een koprol. Komt zachtjes weer op zijn voeten terecht en laat zijn tenen los. Hij ziet dat ik naar hem kijk en komt op me af lopen. 'Heb je genoten?'

'Het is leuker dan het circus.' Ik kijk naar hem, zijn littekens en blauwe plekken, de sporen van eerdere gevechten, de angst in zijn ogen. 'Hoe doe je het?' fluister ik. 'Ik heb met demonen gevochten. Ik weet hoe het is. Waar haal je de moed vandaan om...?'

Kernel haalt zijn schouders op alsof het niet veel te betekenen heeft. Hij gaat met zijn tong over zijn lippen, werpt een blik op Beranabus en komt dan naast me zitten. 'Ik heb nooit veel keus gehad,' zegt hij. 'Ik had een broer. Nou ja, ik dacht... Nee, laat ook maar, anders wordt het te ingewikkeld. Hij werd gekidnapt door een demon. Ik ging erachteraan. Met Beranabus en een paar anderen. Je oom was een van hen.'

'Je kent Derwisj?' vraag ik verrast.

'Ja. Ik heb hem zo'n dertig jaar niet gezien, maar indertijd waren we goede vrienden. Zonder hem had ik het niet overleefd. Is hij nog steeds een punker?'

'Wat?' Ik frons.

'Hij was een punker. Hanenkam, piercings in z'n oren, leren jasje, kettingen.'

'Nee,' grinnik ik. 'Ik denk dat je het over iemand anders hebt. Derwisj is nooit een...' Ik aarzel. Hoeveel tegen demonen strijdende Discipelen die Derwisj heten zouden er in de wereld zijn? 'Dat zoek ik later wel uit. Vertel me eerst maar iets meer over jezelf.'

Kernel haalt zijn schouders op. 'Het liep niet goed af. Ik ging weer naar huis, maar er waren jaren voorbijgegaan – in het universum van de Demonata werkt de tijd anders. Ik kon de brokstukken van mijn oude leven niet meer oppakken. Ik maakte niet langer deel uit van die wereld. En dus ging ik voor Beranabus werken. Hij heeft me geleerd met mijn magie te werken en demonen af te slachten. Sindsdien doe ik dat.'

'Hoe gaat het in zijn werk? Hebben jullie vrije dagen? Weekends? Vakantie?'

Kernel lacht. 'Ja hoor, twee weken in het brandende zand in het zonnige zuiden van Hades, buiten het seizoen halve prijs. Natuurlijk hebben we geen vakantie! We vechten niet de hele tijd. We moeten tussendoor rusten en Beranabus heeft af en toe iets in deze wereld te doen, maar de meeste dagen van het jaar zijn we in de weer.'

'Wat doe je als je niet aan het vechten bent?'

'Hier bijkomen en ontspannen.'

'Je gaat nooit ergens heen? Zelfs niet een dagje uit?'

'Uit waarheen?' snuift Kernel. 'Van tijd tot tijd klim ik de ladder op om wat frisse lucht te happen. Soms om een wandeling van een uur of twee te maken. Maar overdag is het kokend heet, 's nachts vriest het en er is niets te zien of te doen.'

'Neemt Beranabus je nooit mee als hij weggaat?'

'Zelden,' zegt Kernel fel. 'Als we geen demonen aan het bevechten zijn heeft hij liever dat een van ons hier blijft, voor het geval iemand hem nodig heeft. En ook als hij me wel meeneemt, is het altijd strikt zakelijk. Zo snel mogelijk erheen en weer terug, zo min mogelijk opvallen, in de schaduwen blijven.'

Hij stopt. Zijn vingers trillen. Er staan tranen in zijn ogen, maar hij bedwingt ze. Ik probeer iets geruststellends te zeggen, maar ik kan niets bedenken. Ik wil van onderwerp veranderen, maar weet niet waar ik het met hem over moet hebben. En dus vraag ik naar zijn leeftijd. Niet geheel een ander onderwerp, maar hopelijk minder gevoelig.

'Je zei dat je al dertig jaar bij Beranabus bent, maar dat kan niet kloppen. Je ziet eruit als zestien of zeventien.'

Hij glimlacht vermoeid. 'Zoals ik al zei werkt de tijd anders in het demonenuniversum. Het verschilt per zone. Op sommige plekken gaat de tijd sneller dan hier, of even snel, maar meestal gaat hij langzamer. Als we weg zijn lijkt het vaak een dag of twee, maar bij terugkomst blijkt er dan een halfjaar voorbij te zijn gegaan.'

'Shiiit!' Ik hap naar adem.

Kernel knikt ongelukkig. 'In werkelijkheid ben ik... ik weet het niet... misschien een jaar of vier of vijf bij Beranabus. Maar terwijl wij tegen de demonen aan het vechten waren zijn er op aarde minstens een jaar of dertig voorbijgegaan.'

'En Beranabus wil dat ik me daarvoor inteken?' Ik slik moeizaam. 'Mijn hele leven de confrontatie met demonen aangaan? Als ik niet werk in een grot wonen? Om op een dag tot de ontdekking te komen dat er tientallen jaren zijn verstreken en dat iedereen die ik kende oud of dood is?'

'Als je het zo formuleert klinkt het niet best.' Kernels lach klinkt hol. 'Het heeft ook zijn positieve kanten. Ik ben machtiger dan zo'n beetje iedereen op aarde. En ik red deze planeet regelmatig van onvoorstelbare gevaren. Maar dat is een schrale troost wanneer ik hier aan het wegrotten ben of door een reus met vier koppen wordt afgeranseld.'

Kernel staat op en grijnst. Er schemert medelijden door in zijn anders zo bittere, spottende lach. 'Welkom bij de club.' Dan gaat hij zich klaarmaken.

Beranabus is een venster naar het universum van de Demonata aan het openen. Toen Derwisj Lord Loss opriep was het een hele toer, maar Beranabus is bedrevener. Een paar bezweringen, wat op de rotswand gekrabbelde symbolen, een raar dansje en de wereld om ons heen begint te vervagen. De rook die uit Beranabus' vlees opkringelt neemt allerlei gedaanten aan, hoofdzakelijk een mengelmoes van dieren en demonen. Het dak van de grot wordt een moment lang doorzichtig. Ik zie een rode hemel vol reusachtige demonen die als meteoren langs het hemelgewelf scheren. Dan wordt de grot weer normaal. De rook trekt op. Beranabus staat voor een zwarte pilaar die me bekend voorkomt. Het woord 'monoliet' komt bij me op, maar ik weet niet waarom.

'Niet slecht, hè?' zegt Beranabus. 'Kernel is een meester op het gebied van vensters openen, maar hij is op zijn best in het universum van de Demonata. Aan deze kant doe ik het net zo makkelijk. Maar als we eenmaal daar zijn, kan niemand aan hem tippen. Je zult snel genoeg merken wat ik bedoel – als je met ons meegaat.' Hij doet een stap bij de monoliet vandaan. 'Ben je er al uit?'

'Dat was ik eeuwen geleden al,' bijt ik hem toe. 'Ik ga niet mee.'

'Natuurlijk wel,' zegt Beranabus glimlachend. 'Wie kan er nu zo'n uitdaging weerstaan? De kans van je leven om je magische spieren te laten rollen, stapels demonen uit de weg te ruimen, de wereld te redden. Uiteindelijk ga je toch met ons mee, dus waarom stop je niet meteen met te doen alsof je niet wilt en... '

'Ik doe niet alsof!' schreeuw ik, rood van woede. 'Ik heb genoeg van demonen. Ik heb geen zin om tegen ze te vechten. Het maakt me niet uit hoe magisch ik ben. Ik ben uw assistent niet en dat wil ik ook nooit worden. Dus hou nu maar –'

'Er zijn twee denkstromingen ten aanzien van de wijze waarop magisch talent wordt toegekend,' onderbreekt Beranabus me minzaam. 'Sommigen beweren dat het zuiver toeval is, dat de loterij van het universum willekeurig en zonder enig vooropgezet plan magie uitdeelt. Anderen, ik ben een van hen, geloven dat er een kracht werkzaam is die wil dat de mensheid overwint. Wij denken dat tovenaars in het leven worden geroepen om de wereld te behoeden voor de Demonata, dat er in tijden van grote nood helden worden voortgebracht die in staat zijn de anders onstuitbare krachten van het kwaad te stoppen.

'Het maakt niet uit wie er gelijk heeft. Jij beschikt over magie. Of je die nu opzettelijk of per toeval hebt verkregen doet er niet toe. Jij beschikt over het vermogen demonen te doden, te voorkomen dat ze oversteken. Als je je gave niet ten volle benut – als je je plicht verzaakt – is dat gewoon omdat je een lafaard bent, punt uit.'

Ik sta te zieden van woede. Een deel van me wil al mijn zojuist onthulde kracht mobiliseren om Beranabus een zo groot mogelijke magische dreun te verkopen. Om hem voor eens en voor altijd te leren dat er met mij niet valt te spotten. Maar ik doe het niet. Omdat hij de waarheid spreekt.

Derwisj hield van me, en dus heeft hij het nooit gezegd, maar hij moet het wel gedacht hebben. Hij sprak me niet tegen toen ik weigerde bezweringen te leren en mijn magie te ontwikkelen. Hij respecteerde mijn keus en gaf me nooit het gevoel dat ik ertussenuit kneep. Ik maakte mezelf wijs dat ik mijn aandeel had geleverd en nu recht had op een normaal leven.

Maar dat was flauwekul. Diep vanbinnen wist ik dat ik niet wilde vechten omdat ik bang was. Derwisj wist het, ik wist het en nu weet Beranabus het ook. Het enige verschil is dat Beranabus het me onder mijn neus wrijft.

Beranabus buigt zich naar me toe, met opgetrokken wenkbrauwen, en wacht op mijn weerwoord. Wanneer ik niet tegen de belediging inga, glimlacht hij treurig.

'Ik kan het me niet veroorloven om je in de watten te leggen. Dit is een ernstige onderneming. Hier is geen plek voor leugens of poppenkast. Toen je een gewoon kind was, kon je het je veroorloven een lafaard te zijn, toen deed het niemand kwaad. Nu moet je een held zijn of het kan miljarden en miljarden mensen het leven kosten.'

'Nu overdrijft u, toch?' mompel ik.

'Nee. Dat is de inzet van dit spel. Als het om honderden ging, dan maakte het niet uit. Zo veel heb ik er in dat vliegtuig laten doodgaan. Zelfs miljoenen... De wereld kan het wel aan om zo nu en dan een paar miljoen mensen te verliezen. Je zou het als een vorm van bijsnoeien kunnen beschouwen. De mensheid zou blijven voortbestaan of jij je nu bij ons aansloot of niet.

'Maar we hebben te maken met miljárden, een massale afslachting. Als het de sterkere Demonata lukt over te steken, gaat iedereen eraan. Daarom kun jij het je niet meer veroorloven een lafaard te zijn. Ik laat je niet je roeping loochenen omdat je zo'n aardige jongen bent en ik met je te doen heb. Wij hebben een plicht te vervullen. Ik, Kernel, jij. Eerlijk of niet, zo liggen de zaken nu eenmaal. En dus ga je met ons mee dat venster door. Tenzij de lafaard in je sterker is dan ik denk...'

Hij kijkt me nors aan. Achter hem staat Kernel, met gebogen hoofd. Ik denk dat hij zich voor Beranabus schaamt, maar ook voor zichzelf en de keuzes die zij tweeën moeten maken. De keuze die ík moet maken.

'Ik kan het niet,' snik ik. 'U begrijpt het niet. Hoe vaak heb ik die gevechten met Lord Loss niet herbeleefd... Vena en Arterie... Slagtenstein... de angst. De eerste keer deed ik het om Bill-E te redden, omdat hij mijn broer is. En in Slagtenstein omdat we in de val zaten en het erop of eronder was. Maar er was nooit tijd om me van tevoren zorgen te maken of een weloverwogen beslissing te nemen om het tegen de demonen op te nemen. Dit is anders. Nu zou ik er zelf voor kiezen, voor al die gruwelen en ellende. Zowel in het echte leven als in mijn dromen heb ik gezien wat voor nachtmerries de Demonata aanrichten. Ik kan het niet meer aan. Ik kan het gewoon niet.'

'Je kunt het wel,' zegt Beranabus, die voet bij stuk

houdt. 'Tenzij je wilt accepteren dat je een waardeloze lafaard bent. Tenzij je bereid bent er als schurftige straathond met je staart tussen je benen vandoor te gaan. Ben je dat, Grubitsch?'

'Ik...' Mijn stem stokt. Het ligt op mijn lippen om 'ja' te zeggen. Alles in me schreeuwt erom. Bijna kruip ik dankbaar weg in de mantel der lafhartigheid. Maar de schaamte... de schuld... om voortaan als een gebrandmerkte lafaard door het leven te gaan...

'Alstublieft,' kreun ik. 'Doe me dit niet aan.'

'Daar is het nu te laat voor,' zegt Beranabus. 'Ik dwing je nergens toe. Ik ben alleen maar degene met de onaangename taak om je het nieuws te vertellen.' Hij doet een stap naar voren, pakt me bij mijn schouder beet en kijkt me streng in de ogen. 'Held of lafaard. Er is geen tussenweg mogelijk. Kies nu. De Demonata blijven geen eeuwigheid wachten.'

Ik wil krijsen, wegrennen, hem laten weten dat hij m'n rug op kan.

En ik weet dat ik dat niet kan, dat ik begaafd ben, dat ik verdoemd ben.

'Ik hoop dat ze me doden,' huil ik, terwijl ik me hevig trillend van hem losmaak. 'Ik hoop dat ik het geen vijf minuten volhoud.'

'Dat hoopte ik ook toen ik de eerste keer overstak,' zegt Kernel zacht. Dan loopt hij naar de monoliet, legt zijn hand op het oppervlak, blaast erop en wanneer de donkere vorm begint te flikkeren, stapt hij erdoorheen en is verdwenen.

'Je zult het beter doen dan je denkt, Grubitsch,' zegt Beranabus bemoedigend en hij loopt op zijn beurt naar de monoliet. Hij legt zijn hand erop.

'Wacht.' Ik hou hem tegen en hij kijkt vragend achterom. 'Als we dit gaan doen, wil ik één ding duidelijk maken. Het is Grubbs, begrepen? Ik haat dat verdomde Grubitsch.'

Er verschijnt een scheve grijns op Beranabus' gezicht en zijn stem klinkt even lieflijk als die van Dracula. 'Als jij demonen kunt doden, zal ik je noemen zoals je maar wilt. Zo niet, dan laat ik je beenderen achter in hun universum, naamloos.' Hij draait zich om naar de monoliet en ademt uit. De steen flikkert en hij doet een stap naar voren. Verdwenen.

Ik geef mezelf niet de kans om te denken dat dit het moment is om te ontsnappen, hier weg te komen, mezelf in de woestijn te laten verdwalen en in mijn eigen wereld te sterven. Ik ben bang dat de lafaard in me het overneemt. Zonder te aarzelen storm ik naar voren en leg mijn beide handen op de monoliet. Ik blaas erop zoals ik hen tweeën heb zien doen en stap erdoorheen, de waanzin tegemoet.

Het hout waarvan men helden maakt

Eerste indruk: deze plek is oneindig anders dan de webberige wereld van Lord Loss. Hij is lichtblauw van kleur en lijkt op een schilderij van Picasso, met allemaal kubussen en vreemde hoeken. We bevinden ons in een soort vallei. Om ons heen rijzen smalle, puntige pilaren van een vreemd blauw materiaal hoog op. Ik loop naar de dichtstbijzijnde pilaar en ruik eraan. Ik verwacht een zwavelstank, maar hij ruikt meer naar verrot fruit – een perzik of een peer.

'Niet aankomen,' zegt Beranabus. 'Waarschijnlijk is het niet gevaarlijk, maar we nemen hier geen enkel risico. Hoe minder je aanraakt, hoe beter.'

'Waar zijn we?' vraag ik.

'In het universum van de Demonata, idioot,' bijt Kernel me toe.

'Ik bedoel welk deel? Ik weet niet hoe het hier werkt. Zijn er tien werelden, twintig, duizend? Hebben ze namen? In welke zitten wij nu?'

'De geografie werkt hier anders,' zegt Beranabus, terwijl hij geconcentreerd een van de pilaren bestudeert. 'De werelden en de zones veranderen voortdurend. Binnen het universum van de demonen bevindt zich een groot aantal op zichzelf staande sterrenstelsels. De sterkere Demonata kunnen hun eigen wereld creëren of die van een andere demon overnemen en aan hun eigen wensen aanpassen. We weten van tevoren nooit wat we zullen tegenkomen wanneer we oversteken.'

'Maar hoe jagen jullie dan?' vraag ik met gefronst voorhoofd.

'We richten ons op specifieke demonen. De werelden kunnen veranderen, maar de demonen niet, afgezien van de gedaanteverwisselaars en zelfs zij veranderen alleen aan de buitenkant, terwijl het om de binnenkant gaat. Als we de naam van een demon weten, kunnen Kernel en ik hem binnen enkele minuten opsporen. Zo niet, of als de demon geen naam heeft, dan wordt het lastiger. Elke demon heeft een unieke energetische trilling.'

'Een demonische frequentie, zou je kunnen zeggen,' vult Kernel aan wanneer ik hen niet-begrijpend aankijk. 'Demonen hebben een ziel, net als mensen, en ze zenden bepaalde golven uit die wij kunnen opvangen. De ziel van een demon is als een radiozender die op zijn eigen frequentie uitzendt. Als we de indruk hebben dat een bepaalde demon aan een venster of een tunnel bezig is, kunnen we afstemmen op zijn signaal en hem opsporen.'

'Het is niet eenvoudig,' zegt Beranabus, 'vooral niet als het een demon is die we niet uit eigen ervaring kennen, maar meestal vinden we wel wat we zoeken.'

Kernel wijst naar een van de kleinere pilaren. 'Daar.'

Beranabus tuurt naar de pilaar. 'Weet je het zeker?'

'Honderd procent.'

'Of jij ziet steeds beter of mijn ogen gaan achteruit,' moppert Beranabus. Hij heft een hand en schiet een bol energie op de pilaar af. De pilaar begint zacht te gloeien. Er klinkt iets tussen een zucht en gekerm in. Dan beweegt de pilaar en er komt een knokige demon uit een scheur tevoorschijn.

De angst neemt bezit van me en de magie laait in me op. Ik hef mijn handen in een afwerend gebaar, maar Beranabus houdt me tegen met een jolig: 'Houd je paardjes in bedwang, knul!' Hij kijkt de demon aan en glimlacht. 'Wat vind je ervan om vandaag te sterven?'

De demon laat een aantal gesmoorde klanken horen. De geluiden zeggen me niets, maar Beranabus kan ze blijkbaar ontcijferen. 'Nee,' zegt hij. 'We gaan je niet met rust laten. Je weet wie we zijn en wat we willen. Goed dan, heb je ons iets te melden of moeten we je het leven uiterst onaangenaam maken?'

De demon staart Beranabus door zijn verzameling driehoekige ogen aan, maar hij ziet er eerder ongelukkig dan kwaad uit. Het is een vreemd schepsel, niet echt angstaanjagend in manier van doen of uiterlijk. Hij mompelt iets. Beranabus en Kernel wisselen een blik. 'Weet je het zeker?' vraagt Kernel en de demon knikt ongemakkelijk.

'Uitstekend.' Beranabus straalt en hij knikt naar Kernel. De kale tiener gaat een paar meter verderop staan en begint dan met zijn handen in de lucht te bewegen. Het is alsof hij met onzichtbare blokken aan het schuiven is.

'Wat gebeurt er?' vraag ik Beranabus zacht, omdat ik Kernel niet wil storen.

'Ik open een venster,' antwoordt Kernel scherp

voordat Beranabus zijn mond heeft kunnen opendoen. 'Dit is mijn specialiteit. Ik zie lichtpanelen die voor iedereen onzichtbaar zijn. Als ik bepaalde panelen in elkaar schuif, ontstaat er een venster. En zo kan ik overal heen in dit universum, of het onze.'

'Waar brengt dit venster ons heen?' vraag ik.

'Dat zul je snel genoeg merken,' zegt Kernel. 'We gaan op zoek naar een prooi. Je wilt toch zo graag demonen doden?'

'Nee. Maar laten we dat voor het gemak maar aannemen. Hoe zit het met die daar?' Ik wijs naar de blauwe demon, die behoedzaam terugschuifelt naar de scheur en weer één wordt met het landschap.

'Niet de moeite van het doden waard,' antwoordt Beranabus geringschattend. 'Er zijn onnoemelijk veel demonen. Ze zijn allemaal kwaadaardig, maar de meeste zijn niet in staat ons iets te doen of naar onze wereld over te steken. Dat gedrocht durft niet eens deze vallei te verlaten. Hij doet niet veel anders dan wachten, zich verschuilen en overleven.'

'Waar leeft hij van?' vraag ik.

'Wie zal het zeggen,' snuift Beranabus. 'Misschien van niets. De meeste demonen hoeven niet te eten of te drinken. Ze doen het vaak wel, omdat ze dat zelf willen, maar het is geen noodzaak.'

'Waarom zijn we dan hier, als we niemand doden?' vraag ik fronsend.

'Informatie,' zegt Kernel en hij kijkt om zich heen. 'Net als detectives hebben we onze informanten. We weten waar we de zwakke demonen kunnen vinden. We komen vaak op dit soort plekken, tuigen de plaatselijke demonen wat af om erachter te komen of er vuile plannetjes worden uitgebroed. En dat is meestal het geval. Demonen zoals die daar doen misschien niet veel, maar ze weten wel van alles. In dit universum is het moeilijk om een geheim te bewaren. Nieuwtjes gaan hier snel.'

'En wat is het nieuwtje nu?' vraag ik van mijn stuk gebracht. Ik weet niet wat ik had verwacht, maar dit niet.

'Een demon probeert een vrouw op aarde in zijn macht te krijgen,' zegt Beranabus. 'Dat gebeurt de hele tijd. Voor de betrokkenen is het niet leuk, maar voor ons is het geen probleem. Niet alle demonen kunnen tussen de universums heen en weer reizen, maar sommige kunnen wel bezit van mensen nemen. Ze manipuleren ze, maken ze gek, gebruiken ze om zo veel mogelijk chaos te creëren. Normaal gesproken bemoeien we ons niet met dit soort kleinschalige melodrama's, maar ik wil je een rustige start geven.'

Kernel gromt. 'Op mijn eerste missie gingen we de strijd aan met een stel demonen die bijna waren doorgebroken naar het centrum van Moskou. Het waren twee van de sterkste demonen die ik ooit ben tegengekomen. Het was bloederig en kantje boord. Toen ben ik mijn twee vingertoppen kwijtgeraakt.' Hij staart naar zijn linkerhand en bij de herinnering aan het gevecht krimpt zijn hand ineen tot een vuist.

'Waarom heb je ze niet weer laten aangroeien?' vraag ik. 'Dat kan toch met magie?'

'Meestal wel. Maar het maakte niet zo veel verschil. Ik besloot het zo te laten. Het herinnert me aan de gevaren die we ontmoeten, het feit dat succes niet verzekerd is, dat we op een gegeven moment in deze hel ten onder kunnen en zullen gaan.'

'Vooruit,' zegt Beranabus afgemeten. Voor Kernel is een paarsig venster verschenen. Beranabus loopt ernaartoe en stapt erdoorheen, dit keer zonder te blazen. Kernel balt zijn handen tot vuisten, ontspant zijn vingers weer en gaat Beranabus achterna.

Ik kijk achterom naar de blauwe demon, maar ik zie niets, ook al weet ik precies waar hij zich schuilhoudt. Ik schud mijn hoofd en denk: Dit valt reuze mee, dit kan ik wel aan. Maar ik weet dat het een valse start is, dat het erger gaat worden – veel erger.

Boven mijn hoofd klinkt geraas, van een demon ter grootte van een meteoor. Ik wil het risico niet lopen hier in mijn eentje te worden aangevallen en haast me het venster door, de anderen achterna.

Vuur! Overal om me heen, woest, hevig, ongecontroleerd. Ik voel de haren op mijn armen schroeien en ik weet dat ik binnen enkele seconden in vlammen opga. Totale paniek. Ik wil op zoek naar Beranabus en Kernel of om hulp schreeuwen, maar mijn ogen en mond sluiten zich automatisch tegen de hitte.

'O, in hemelsnaam…' mompelt Kernel misprijzend, terwijl hij mijn arm beetpakt en hem ruw heen en weer schudt. 'Dit is waanzin. Hij is hier niet geschikt voor. Stuur hem terug.'

'Hij leert het wel,' zegt Beranabus en dan houdt hij zijn lippen bij mijn linkeroor. 'Gebruik magie om jezelf te leiden.'

'Dit is de hel!' kreun ik uit een mondhoek. Mijn ogen hou ik stijf gesloten.

'Een van de duizenden hellen,' gromt Beranabus. 'Voor elke fantasierijke demon die een angstaanjagend originele wereld weet te scheppen, zijn er tallozen die zich laten inspireren door uitgekauwde menselijke mythen. Hou op met je zo aan te stellen. Als je oplet voel je je magie al reageren, je al beschermen tegen de vlammen. Anders was je nu al verkoold.'

Ik doe eerst mijn ene oog open, dan het andere. Niets dan vlammen om me heen. Beranabus en Kernel zijn nauwelijks te zien tussen de likkende gele en rode vuurtongen door. Het is nog steeds heet, heter dan verdraaglijk zou moeten zijn. Maar op de achtergrond voel ik de magie snorren, me afkoelen, mijn sproeterige vlees beschermen. Beranabus heeft gelijk – zodra ik hier een voet aan de grond zette, sprong de magie in actie, nog voordat de haren op mijn armen begonnen te schroeien. Ik wist het – ik voelde het – maar door de angst raakte ik in paniek.

'Waar is de demon?' vraag ik, terwijl ik door de muur van vuur heen probeer te turen. Ik kijk omlaag en realiseer me dat we ons werkelijk midden in het vuur bevinden – geen grond te bekennen. Niets dan vlammen – onder ons, boven ons en aan de zijkanten.

'De vlammen zíjn de demon,' zegt Kernel. 'Het is een universele demon.'

'En ik zou moeten weten wat dat betekent?' vraag ik humeurig.

'Universele demonen hébben niet gewoon hun eigen sterrenstelsel – ze zíjn het,' legt Beranabus uit. 'Deze demon heeft een fascinatie voor vuur en dus is hij vlammen geworden. Zijn hele wereld – de demon zelf – bestaat uit vuur.'

'Maar waar begint zijn wereld?' vraag ik. 'En waar eindigt die?'

'Nergens,' zegt Beranabus. 'Deze demon is zijn eigen onafhankelijke en tegelijkertijd onbegrensde sfeer. Het lijkt op ons universum: oneindig.'

Terwijl ik het probeer te begrijpen – ik heb me nooit iets kunnen voorstellen bij een universum dat oneindig is, laat staan een enkel schepsel – worden de vlammen om ons heen dikker. Er klinkt een afgrijselijk gekrijs, alles doorsnijdend en vernietigend. Mijn trommelvliezen en oogbollen zouden moeten knappen, maar de magie beschermt me instinctief. (En dat is maar goed ook, want ik heb geen idee hoe ik het zou moeten doen!)

Te midden van de vlammen tekent zich een vorm af, gigantisch groot en steeds verder uitpuilend, als het nephoofd van de tovenaar van Oz. Maar dan honderd keer groter en angstaanjagender, vol met heen en weer springende schaduwen, vonken en vlammen.

De demon krijst weer. Er verschijnt een enorme, woeste, vurige vuist, die met een dreun neerkomt op Beranabus. Hij zwaait met een arm naar de vuist en snijdt door de vlammen heen. De randen van zijn baard schroeien, maar verder is hij ongedeerd.

Er verschijnt opnieuw een vuist, die Kernel tegen de vlakte probeert te slaan. Hij springt hoog in de lucht, maakt een salto over de vuist heen, opent halverwege zijn mond en haalt diep adem. Hij inhaleert de vlammen. Zijn gezicht kleurt zuiver, ziedend, pijnlijk wit. De demon schreeuwt. Kernel landt, hoest, draait zich om en springt over de volgende razend-snel gevormde vuist.

Beranabus graait handenvol vlammen bijeen en propt ze in zijn maag. En dan bedoel ik ook echt erín – zijn handen doorboren zijn eigen vlees. Hij stopt zijn ingewanden vol met vuur. Zijn handen komen weer naar buiten en zijn buikwand is ongeschonden. Hij graait nog meer vlammen bij elkaar en propt ze naar binnen. Eruit, erin. Eruit, erin.

En wat doet de heldhaftige Grubbs Grady? Ik hang er een beetje bij, hulpeloos en huiverend, ongeveer even bruikbaar als een plastic barbecuevork. Ik wil helpen, maar ik weet niet hoe. Mijn magie is niet sterk genoeg, ik wil hier niet zijn. Dit is niet mijn strijd.

En dan, midden in het gevecht, richt de demon zich op mij. Aan weerszijden van me verschijnt een enorme vuist, ze suizen op me af, om het leven uit me te beuken.

Ik gooi mezelf tegen de grond. Ware het niet dat er geen grond is. Alleen maar vlammen. Ik weet niet hoe ik de hele tijd ben blijven zweven, maar nu doe ik dat dus niet meer. Ik val, net zoals toen Beranabus me uit het vliegtuig had getrokken, als een baksteen. De tovenaar en zijn assistent verdwijnen snel uit het zicht.

'Help!' schreeuw ik.

'Help jezelf!' buldert Beranabus en hij vloekt hart-grondig.

Opeens hang ik stil. De opluchting is even snel weer verdwenen wanneer ik me realiseer dat het niet door de hulp van Beranabus of Kernel komt – ik word vast-gehouden door een reusachtige hand van vuur. De vingers sluiten zich om me. De hitte is ondraaglijk.

Ik voel mijn magie worstelen, protesteren, me smeken haar te focussen, te gebruiken, terug te vechten. Maar wat kan ik doen? Hoe kan ik een schepsel van vlammen verslaan? Het is onmogelijk. Lord Loss en zijn trawanten waren tenminste tastbare doelen. Ik kon ze raken. Dit is waanzin. We gaan er allemaal aan, worden verzwolgen door de vlammen van een demon ter grootte van een universum.

Ik gil naar de vlammen. De vingers stoppen hun beweging, er gaat een trilling doorheen, en dan openen ze zich. Ik val weer. Ik huil. Het geeft me geen voldoening dat ik de hand vernietigd heb, want ik weet zeker dat er elk moment een andere hand kan verschijnen, een grotere, sterkere, hetere.

Dan doemt Kernel naast me op. Zijn snijdend helderblauwe ogen kijken me woedend aan. 'Stompzinnige amateur,' sneert hij. 'Godvergeten lafbek.'

'Ik kan het niet,' brabbel ik. 'Ik zei al dat ik het niet kon. Ik wilde hier niet heen. Laat me stoppen met vallen. Help me weer –'

'Houd je kop, aardworm!' schreeuwt Kernel. 'Ik zou je moeten laten verbranden.' Hij lacht wreed. 'Wat maakt het ook uit. Voor jouw dood koopt niemand wat.' Hij schiet bij me vandaan en duikt omlaag, veel sneller dan ik val. Hij wordt een stipje en blijft dan hangen. Terwijl ik op hem af suis, zie ik zijn handen bewegen, op dezelfde manier als toen hij het venster naar dit universum maakte.

Wanneer ik ongeveer honderd meter van hem vandaan ben, verschijnt er een donkergroen venster. Kernel stapt opzij en zwaait naar me als een politieagent die het verkeer regelt. Ik vlieg op het venster af. De vlammen maken zich van me los. Naarmate ik het venster nader, wordt het steeds groter. Ik kan me nog net bezorgd afvragen wat er zal gebeuren wanneer ik aan de andere kant van het venster op de grond neerstort. Dan ben ik erdoorheen en wordt alles groen.

Een gezicht uit het verleden

Ik kom met een klap op de bodem van Beranabus' grot terecht, maar mijn botten blijven heel. Kreunend richt ik me op en kijk om me heen. Het vuur is uitgegaan, er ligt alleen nog koude as. De toortsen aan de muur branden nog wel, want dankzij magie gaan deze vlammen nooit uit. Een meter of twee boven mijn hoofd hangt het venster. Een paar tellen later, terwijl ik op handen en knieën eronder vandaan kruip, flakkert het, valt dan uit elkaar en verdwijnt.

Ik strompel naar mijn bed en ga liggen, hijgend, mijn hart nog nabonzend van de ontmoeting met de vuurdemon, en door de val beurs tot op het bot. Ik sluit mijn ogen en huiver, dan kruip ik onder de deken voor wat warmte.

In het schemerduister kom ik langzaam tot rust. Ik denk aan het universum van de Demonata. Mijn ogen gaan open, mijn wimpers nat van de tranen. Ik schaam me. Ik heb me als een ongelooflijke schijtluis gedragen. Wat is er met me gebeurd? Voordat ik Lord Loss kende was ik dapperder. Ik was wel bang, maar ik vocht dapper. Waarom lukt me dat nu dan niet? Urenlang lig ik stil te peinzen, en val dan in een angstige, onrustige, van schaamte doortrokken slaap.

Wanneer ik wakker word geen teken van Beranabus en Kernel. Gedurende een paar minuten maak ik me zorgen over hen, maar dan herinner ik me dat de tijd hier meestal sneller gaat dan in het universum van de Demonata. Een gevecht dat daar een uur of twee duurt, komt overeen met dagen, weken of zelfs maanden hier. Stijf kom ik overeind en ga in de grot op zoek naar water en iets te eten. In alle hoeken staan de voorraden opgestapeld, het eten houdbaar en het water zorgvuldig gebotteld. Ik zal dus niet van de dorst of de honger omkomen. Tenzij ze jaren wegblijven...

Nu eerst een vuur. Er liggen houtblokken en stukken turf, maar geen lucifers of een aansteker. Ik overweeg een van de toortsen te gebruiken, maar ze zitten stevig aan de muur vast en ik wil ze er niet afbreken. Ik vermoed dat Beranabus en Kernel het vuur met magie aanmaken. Ik heb geen zin om mijn innerlijke krachten te verstoren en dus probeer ik als een holbewoner het vuur aan te steken door twee stokjes langs elkaar te wrijven en een stel stenen tegen elkaar aan te slaan, in de hoop dat er een vonkje vanaf vliegt. Maar ik kom er al snel achter dat ik niet kan tippen aan mijn verre voorouders.

Ik leun achteruit en kijk fronsend naar de houtblokken. Het is niet echt koud in de grot, maar ik wil toch vuur maken, vooral vanwege het geruststellende geknetter van natuurlijke vlammen. En dus ga ik, voorzichtig, in mezelf op zoek naar magie. Zodra ik er in de buurt kom, trekt de energie zich terug. Ik voel de kracht, maar hij schiet weg, buiten mijn bereik. Het is alsof mijn magie me wil straffen, alsof ze kwaad is dat ik haar niet heb gebruikt om tegen de demon te vechten. *Je kunt de pot op als je denkt dat ik je nu help! Maak jij je eigen vuur maar, lafaard!*

Ik geef het op. Ik pak een blikje bonen, een vork en een blikopener en ga terug naar mijn deken, waar ik de koude bonen opeet. Terwijl ik eet staar ik naar het levenloze vuur. Ik herinner me de vlammen in het andere universum en mijn laffe gedrag. Ik probeer mijn gedrag te rechtvaardigen. Wat had ik moeten doen? Net als Kernel de vlammen opzuigen? Ze net als Beranabus in mijn buik proppen? Als ze me hadden verteld hoe, dan had ik het kunnen doen. Maar ze hebben me in het diepe gegooid, zonder enige waarschuwing of wijze raad. Misschien was ik niet echt een lafaard, maar gewoon onwetend.

Het lukt me niet mezelf te overtuigen. Als het om een demonenmeester was gegaan, had ik me kunnen beroepen op onervarenheid. Maar Kernel had gezegd dat dit een van de minder machtige demonen was. Beranabus wilde me een rustige start geven, wilde me testen met een relatief tamme demon. Er is geen excuus mogelijk.

Ik spring mijn bed uit. Ik moet hier weg. Ik wil hier niet zijn wanneer ze terugkomen. Ik begraaf mijn schaamte wel in de woestijn. Wegwezen. Laat de zon me maar roosteren, de koude nachtlucht me maar bevriezen. Alleen en verloren sterven. Geen angst en geen zorgen meer. Weg uit deze waanzinnige kermis van weerwolven, magie en demonen.

Ik loop snel naar de touwladder en trek mezelf omhoog, mijn spieren strak als staalkabels, en ik ga zo hard, dat ik boven aangekomen met mijn hoofd tegen het dak van de grot knal. Ik krimp ineen en wrijf over mijn schedel. Ik zak een paar treetjes en kijk omhoog waar het handvat zit. Ik zie niets. Het ziet eruit als massieve rots. Ik ga er met mijn vingers overheen, op zoek naar een spleet of een knopje, maar ik vind niets. Het luikt regeert waarschijnlijk op magie.

Chagrijnig ga ik omlaag. Met nog meer haat naar magie. Waarom kan ik niet een gewone tiener zijn met gewone problemen? Ik heb nooit om magie gevraagd. Ik was er niet in het minst in geïnteresseerd. Dus waarom moest het mij dan opzoeken? Waar heb ik dit in hemelsnaam aan verdiend?

Terug naar mijn deken, naar de koude resten van het vuur staren, ongeduldig wachten totdat Beranabus en Kernel terugkomen. Ik zou bijna willen dat ik in het universum van de Demonata was gebleven en was geroosterd.

De tijd gaat afschuwelijk langzaam. Het is niet te zeggen of het dag of nacht is. Wanneer ik niet slaap, zit ik te denken, werk ik mechanisch iets te eten weg of loop ik rondjes door de grot. Als ik naar de wc moet, ga ik zo ver mogelijk de grot in, graaf een gat en gooi het daarna weer dicht. De eerste paar keer vol walging, maar nu is het een tweede natuur geworden. Ik draai m'n hand er niet meer voor om.

Ik merk dat ik me vaak afvraag wat er in het andere universum aan de gang is en wilde dat ik de moed had om terug te gaan, me weer in het gevecht te mengen en mijn gedrag goed te maken. In mijn hoofd spelen zich de wildste scenario's af waarin ik Grubbs Grady de superheld ben. Beranabus en Kernel in het nauw gedreven, ruggen tegen een muur van vlammen, overgeleverd aan de genade van de demon. Hij lacht kwaadaardig en staat op het punt hen af te slachten. Dan ga ik hem te lijf en rijt hem aan stukken. De verbijsterde Beranabus en Kernel schreeuw ik toe: 'Jullie dachten zeker dat ik ervandoor was? Ik moest gewoon even naar de wc.' Ze juichen terwijl ik de demon dood en komen me op mijn schouders slaan, ze bejubelen me, roepen me uit tot hun redder.

Mooie dromen. Die niets met de werkelijkheid te maken hebben. Want hoe groot mijn wens en mijn fantasieën ook zijn, ik heb geen idee hoe ik een venster moet maken naar het universum van de demon. En ik weet zeker, zonder een greintje twijfel, dat áls er een venster voor me verscheen ik niet het lef zou hebben om erdoorheen te stappen. De held zit alleen in mijn hoofd. In de echte wereld blijf ik een lafaard.

Met een schok ontwaak ik uit een zoveelste onrustige slaap. Ik hoor zware, dreunende geluiden. Het eerste wat bij me opkomt is dat Beranabus en Kernel terug zijn of dat een demon is doorgebroken. Maar wanneer ik om me heen kijk is er niets te zien. Ik frons en vraag me af of de geluiden onderdeel waren van de droom. Ik luister. Het lijkt wel een eeuwigheid. Niets dan stilte.

Ik probeer weer te slapen, maar ik ben te erg van streek. En dus loop ik voor de miljoenste keer rondjes door de grot. Na een tijdje ga ik over op looppas. Twintig rondjes, gevolgd door push-ups, kniebuigingen en weer joggen. Boksbewegingen onder het joggen. Ik sla hordes denkbeeldige monsters knock-out.

Een paar korte sprintjes. Mijn conditie is beter dan die in lange tijd is geweest – misschien wel beter dan ooit. Ik denk aan Loch en zijn goedkeurende blik als hij me nu zou zien. Hij pushte me altijd om meer te trainen. Hij zei altijd dat ik een berg spieren was waar nooit iets mee was gedaan, dat ik een echte vecht-machine kon zijn als ik de grenzen van mijn kunnen opzocht. Maar ik vond het niet belangrijk. Er was altijd wel iets anders waaraan ik mijn tijd liever besteedde.

Maar nu niet. Zo zouden deelnemers aan de Olympische Spelen zichzelf moeten trainen. Je afsluiten voor de wereld in een sombere stinkgrot met niets anders te doen dan trainen. Doet wonderen voor je concentratie. Als ik hier ooit uit kom, wordt dat misschien wel mijn ware roeping: olympische sterren coachen. Het zou in ieder geval allejezus veel beter zijn dan je brood verdienen met demonen doden!

Ik ben nog steeds aan het trainen. Ik ben al uren bezig en neem alleen af en toe een korte pauze om te rusten en te eten. Ik zweet zo overvloedig dat ik mijn kleren moet uitdoen. Ik hou alleen mijn onderbroek aan, voor het geval Beranabus en Kernel onaangekondigd binnen komen vallen.

Opeens hoor ik het weer. Drie zware dreunen, een pauze, weer drie dreunen. Dan stilte.

Ik blijf staan en luister naar de echo van het gedreun. Het kwam van boven – de afgesloten ingang van de grot. Mijn hoop laait op, ik ren naar de ladder en klauter haastig omhoog. Ik blijf een paar seconden hangen in afwachting van nog meer geluiden.

Wanneer er niets dan stilte te horen is, brul ik: 'Hallo!' Ik luister weer. Niets.

Weer omlaag. Ik ga op zoek naar een voorwerp waarmee ik tegen het plafond van de grot kan bonken, maar ik vind niets. Ik open de lades van Beranabus' tafel – de eerste keer dat ik erin kijk – maar er liggen alleen vellen papier, pennen en wat prullaria in. Afwezig registreer ik dat de bloemen er nog steeds goed uitzien, vers als altijd.

Uiteindelijk pak ik een van de grotere stukken brandhout en sleep het de ladder op, waarna ik er drie keer mee tegen het plafond beuk, pauze, en nog drie keer. Ik laat het stuk hout zakken, probeer mijn zware ademhaling te smoren zodat ik kan luisteren en smeek in stilte om een reactie. Maar er komt niets.

Keer op keer beuk ik tevergeefs tegen het plafond. Na een tijdje geef ik het op en ik laat het houtblok vallen. Ik blijf nog even hangen en klim dan omlaag, terneergeslagen. Als de geluiden van een mens afkomstig waren, realiseer ik me halverwege, dan is die persoon misschien weer weggegaan. Toen er niet direct een antwoord kwam, dacht hij (of zij) misschien dat er niemand thuis was en dat hij het later nog eens moest proberen.

Terug op de grond drink ik een halve fles water leeg, ga naar de wc en keer dan terug naar de touwladder. Ik pak het houtblok op en klim weer omhoog. Boven aangekomen installeer ik me zo goed en zo kwaad als mogelijk, en wacht, wanhopig verlangend naar contact met een ander menselijk wezen.

Een hele tijd later. Mijn armen en benen doen pijn

van het me vastklemmen aan de ladder. Moe en geïrriteerd. Ik zeg tegen mezelf dat ik mijn tijd verdoe. Waarschijnlijk waren de geluiden afkomstig van vallende stenen. Als ik slim ben, klim ik omlaag, ga ik wat slapen en dood ik daarna de tijd met verder trainen.

Net wanneer ik het wil opgeven, hoor ik de geluiden weer – drie echoënde dreunen, een pauze, dan nog drie, net als daarvoor. Opgewonden hef ik het houtblok – en laat het vallen! In een reflex grijp ik ernaar, krijg het te pakken en slinger het omhoog, hard tegen het plafond van de grot aan. Een, twee, drie keer. Een korte pauze, en dan beuk ik opnieuw tegen het plafond. Vervolgens laat ik het met bonkend hart zakken en ik luister.

Niets.

Een paar minuten lang blijf ik zo hangen, hoopvol, in afwachting van een antwoord. Maar naarmate de stilte zich uitstrekt, dringt het tot me door dat er geen antwoord komt. Het gedreun is afkomstig van een uitzonderlijk groot dier, of de rots boven mijn hoofd is zo dik, dat het geluid dat ik maak onmogelijk aan de andere kant te horen is. Misschien gebruiken ze magie om door de rots heen te komen of een extra zware hamer. Verslagen daal ik de ladder af en duik mijn bed in. Ik vlucht in de slaap. Zelfs mijn nachtmerries zijn me liever dan de eentonigheid van de grot.

Nog meer lege uren, met als enige afleiding, afgezien van mijn lichaamsbeweging, op regelmatige tijdstippen de dreunende geluiden. Ik weet zeker dat het een mens is – een dier kan niet steeds opnieuw hetzelfde geluid maken. Maar aangezien ik toch niet in contact kan komen met die persoon, verlies ik mijn interesse en al snel vraag ik me niet meer af wie het zou kunnen zijn. Ik luister er niet meer naar en na een tijdje vallen de geluiden me nauwelijks meer op.

Op een dag – of nacht – halverwege een vierminutensprint, verschijnt er vlak bij de restanten van het vuur een groen venster en Kernel stapt de grot in. Ik kom vlak voor hem tot stilstand. Hij kijkt me ijzig aan, werpt een nieuwsgierige blik op mijn blote borst en benen, gaat dan naar het vuur en steekt het met een enkel woord aan.

Terwijl ik mijn kleren aantrek, komt Beranabus de grot in. Een groot deel van zijn baard is verschroeid en zijn handen zijn rood, maar verder is hij ongedeerd.

'Heb je de grot lekker warm gehouden voor ons?' sneert hij.

'Hij heeft zelfs het vuur niet aan weten te krijgen,' snuift Kernel.

'Waarom kijk ik daar niet van op?'

'Hebben jullie... de demon... Is hij...?' stotter ik.

'Allemaal geregeld,' zegt Beranabus. 'Voor altijd gedoofd, zijn universum is nu een koude, levenloze uitgestrekte ruimte. Mensheid gered, orde hersteld, ramp afgewend.'

'Niet dankzij jou,' voegt Kernel er minachtend aan toe.

Ik negeer de belediging. 'Hoe lang zijn jullie daar geweest?'

'Geen idee,' zegt Beranabus, terwijl het venster achter hem verdwijnt. 'Het voelde als een dag. En hier?'

'Een paar weken. Drie of zo.'

'Dat moet saai zijn geweest.'

'Eigen schuld,' bijt Kernel me toe en hij kijkt me vol afkeer aan. 'Om er zo vandoor te gaan... Ons aan ons lot over te laten...'

'Niet dat we het niet aankonden,' mompelt Beranabus, zonder zich te realiseren dat ik me door zijn vriendelijkheid nog vreselijker voel.

'Dat wist hij niet,' sist Kernel. 'Hij heeft ons alleen laten vechten. Hij heeft zich niet afgevraagd of we hem soms nodig hadden. Daar had hij geen boodschap aan.'

'Dat is niet waar,' werp ik boos tegen. 'Inderdaad, ik ben ervandoor gegaan. Maar ik had er wel een boodschap aan. Ik kon gewoon niet... Het was te... Ik had het toch gezegd?' roep ik uit. 'Ik wilde niet gaan. Ik moest van jullie.'

'Hoor hem nou,' roept Kernel honend. 'Het lijkt wel een kleuter. Ik wist niet dat iemand van zijn leeftijd en postuur zo'n schijterd kon zijn. Misschien zou ie...'

'Genoeg!' blaft Beranabus. Zuchtend loopt hij naar zijn tafel en gebaart naar me dat ik hem moet volgen. Hij gaat op een oude houten stoel zitten, strekt zijn benen, kraakt zijn vingers boven zijn hoofd en gaapt. Hij laat zijn handen zakken, frunnikt aan een van de bloemen, schuift wat papieren heen en weer, haalt dan een tekening uit een van de lades en kijkt ernaar.

'Het spijt me,' zeg ik zacht.

'Nee,' zegt hij met een zucht. 'Het was mijn fout.

Ik dacht dat je uit harder hout gesneden was. Ik zag de angst in je en je weerzin om erbij betrokken te raken. Maar gezien je achtergrond dacht ik dat je die wel van je zou afschudden als je eenmaal oog in oog met een demon stond, dat je er net als de vorige keren tegen opgewassen zou zijn.'

'Dat was anders,' vertel ik hem. 'De eerste keer wist ik niet waarin ik me begaf en in Slagtenstein zat ik in de val. Toen had ik geen andere keus dan vechten. Ik heb sindsdien zo veel afschuwelijke nachten gehad, zo veel nachtmerries. Ik ben nu niet meer gewoon bang voor demonen – ik ben er als de dood voor.'

'Ik begrijp het,' zegt Beranabus. 'Eerst niet, maar nu wel.' Hij bestudeert de tekening opnieuw en legt hem dan aan de kant. 'Ik heb te weinig mensenkennis. Ik heb eerder fouten gemaakt, kinderen naar het universum van de Demonata meegenomen die er niet aan toe waren, een te makkelijke prooi. Maar dat waren stuk voor stuk vechtersbazen. Dit is de eerste keer dat ik iemand meeneem die niet wil vechten. Het was een grote fout van me. Ik had beter moeten weten.'

'U bent niet kwaad op me?'

'Nee. Ik ben verdrietig. Je hebt zo'n grote gave en om die dan verloren te zien gaan... Maar als het instinct om te vechten er niet is, heeft het geen zin om te gaan zitten kniezen. Ik dacht dat je een krijger was. Ik had het bij het verkeerde eind. Je neemt het een pony niet kwalijk dat hij geen paard is.'

Hij valt stil en kijkt naar de bloemen op de tafel. Ik weet niet zeker of ik de vergelijking wel zo leuk vind. Ik heb nog nooit over mezelf gedacht als Grubbs Grady – de pony! Maar hij heeft waarschijnlijk gelijk. Ik ben dan misschien niet dapper genoeg om een held te zijn, maar ik heb tenminste genoeg trots om niet terug te schrikken voor de waarheid wanneer die gezegd wordt.

'En wat nu?' wil ik weten.

'Hmm?'

'Ik kan niet vechten. Dus wat gebeurt er nu? Brengt u me terug? Laat u me achter in de woestijn? Of wat?'

Beranabus fronst zijn wenkbrauwen. 'Ik heb niet veel tijd. In de woestijn overleef je het niet en het zou wreed zijn om je hier voor onbepaalde tijd te laten wachten. Ik zal je naar de dichtstbijzijnde nederzetting brengen. Daarvandaan zul je zelf je weg naar huis moeten vinden. Eenmaal thuis vertel je Derwisj wat er is gebeurd. Vraag hem je te helpen je magie te ontplooien. Zelfs als je niet kunt vechten, kun je nog wel uitkijken naar demonen. Word een Discipel. Ik weet dat je er het liefst helemaal niets mee te maken zou hebben, maar je kunt je wellicht nuttig maken. Zou dat lukken, denk je?'

'Zeker weten,' poch ik, zo blij ben ik dat iemand me zegt dat ik niet helemaal waardeloos ben. 'Ik wilde niets met magie te maken hebben omdat ik bang was dat ik tegen demonen moest vechten als ik ermee leerde omgaan. Maar als ik alleen maar hoef te fungeren als waakhond ...'

'Goeie woordkeuze,' sneert Kernel.

'Tut, tut,' sust Beranabus. 'Laten we niet onbeleefd worden.'

Kernel spuugt in het vuur. Het gesis van zijn spuug vertelt meer over wat hij van me denkt dan hij met duizend woorden zou kunnen zeggen.

'Wanneer vertrekken we?' vraag ik Beranabus. Ik wil zo snel mogelijk hier vandaan, weg uit deze beklemmende grot, weg van Kernels minachting.

'Spoedig,' belooft Beranabus. 'Ik moet eerst wat slapen, dan nog wat eten, maar daarna gaan we.'

'Top,' zeg ik grijnzend. Ik loop weg, zodat de oude tovenaar zijn bed in kan. Dan herinner ik me de geluiden en draai me om om het hem te vertellen. 'Wat ik nog wilde zeggen, iemand heeft...'

Ik blijf stokstijf staan. Beranabus zit voorover geleund aan zijn tafel en strijkt met een tedere glimlach rond zijn lippen over de blaadjes van een van de bloemen. Ik zie de tekening liggen waar hij een paar minuten eerder naar heeft zitten kijken. Het is een potloodtekening van een meisjesgezicht. En ondanks dat het papier vergeeld en gekreukt is, komt het gezicht me ontstellend bekend voor.

'Wie is dat?' roep ik schor uit. Beranabus kijkt me vragend aan. Ik wijs met een trillende vinger naar de tekening. 'Dat meisje – wie is dat?'

'Iemand die heel lang geleden is gestorven,' antwoordt Beranabus en hij raakt het papier aan. 'Ze heeft haar leven geofferd in de strijd tegen de Demonata, om de wereld veilig te houden. Een voorbeeld voor ons allen. Niet dat ik wil dat jij je nu onbetekenend gaat voelen. Ik wilde alleen maar...'

'Er was een stem,' onderbreek ik hem met mijn ogen strak op de tekening gericht. 'In de grot in Carcery Vale. Ik heb het niet eerder verteld. Het leek me niet belangrijk en er waren zo veel andere dingen die ik u moest vertellen. Maar toen ik naar de grot ging, hoorde ik een stem en zag ik een gezicht in de rotsen.

Het leefde. Ook al zat het gezicht in de rotsen, het kon zijn ogen opendoen en zijn lippen bewegen. Het sprak tegen me.'

Ik pak de tekening en bestudeer het gezicht van het meisje, de lijn van haar kaken, de ogen en de mond. 'Dit is het meisje van de grot. Ze riep me... Ze waarschuwde me, denk ik, maar ik weet niet waarvoor. Ze sprak een andere ta–'

'Dat is onmogelijk!' bijt Beranabus me toe en hij grist de tekening uit mijn handen. 'Dit meisje is al bijna zestienhonderd jaar dood. Je vergist je.'

'Nee,' zeg ik vastberaden. 'Zij was het. Ik weet het zeker. Wie was ze in hemelsnaam en waarom heeft ze zo veel moeite gedaan om met me in contact te komen?'

Als antwoord op mijn vraag blijft Beranabus roerloos voor zich uit staren, geschokt – en báng.

De *waarschuwing*

'Onmogelijk!' blijft Beranabus met gebarsten stem herhalen. 'Onmogelijk!' Hij ijsbeert door de grot, zijn haren en ogen nog wilder dan anders, de tekening van het meisje tegen zijn borst aan geklemd, in zichzelf mompelend en af en toe voor de zoveelste keer uitbarstend in een 'Onmogelijk! Onmogelijk!'

Kernel en ik hebben ons bij het vuur teruggetrokken, tijdelijk verzoend door onze onzekerheid. 'Is hij wel eens eerder zo tekeergegaan?' fluister ik.

'Nee,' antwoordt Kernel zacht. 'Hij praat vaak in zichzelf, maar ik heb hem nog nooit zo over zijn toeren gezien.'

'Weet jij wie dat meisje is?'

Kernel schudt zijn hoofd. 'Gewoon een of andere oude tekening die hij van tijd tot tijd tevoorschijn haalt en boven gaat zitten zwijmelen.'

'Beranabus zei dat ze zestienhonderd jaar geleden is gestorven.'

'Ik heb het gehoord.'

'Denk je dat hij haar heeft gekend? Leefde hij toen?'

'Nee.' Kernel fronst. 'Dat kan niet. Doordat we de Demonata in hun universum bevechten, kunnen we heel oud worden, zelfs een paar honderd jaar. Maar geen mens kan zó lang leven. Tenminste, dat is wat Beranabus me heeft geleerd...'

Beranabus stopt met ijsberen. Hij draait zich als een wervelwind om en richt zijn priemende ogen op mij. 'Jij!' schreeuwt hij. 'Kom hier!' Ik werp een zijdelingse blik op Kernel, hopend op zijn steun. 'Geen getreuzel! Nú hier komen!'

Aangezien ik hem niet nog woester wil maken, loop ik behoedzaam naar hem toe, maar zorg ervoor buiten handbereik te blijven. Beranabus houdt de tekening omhoog. Zijn handen trillen. 'Hoe zeker ben jij van je zaak?' gromt hij.

'Zij is het,' vertel ik hem. 'Het meisje van de grot. Ik weet het zeker.'

'Durf je er je leven om te verwedden?' snauwt hij me toe.

'Nee,' zeg ik weifelend. 'Maar ze is het wel. Zo'n gezicht vergeet je niet snel. Het komt niet elke dag voor dat iemand je vanuit een rots toespreekt.'

Beranabus laat de tekening zakken. Hij draait hem om en kijkt weer aandachtig naar het gezicht. 'Jij beweert dat ze in leven is?' vraagt hij met gedempte stem.

Ik haal mijn schouders op. 'Ze praatte tegen me. Maar het was geen echt gezicht. Het was een kruising van vlees en steen. Het had een of andere geestverschijning kunnen zijn.'

'Natuurlijk,' zegt Beranabus. 'Maar een geest die dáár zit opgesloten... Al die tijd heeft vastgezeten...' Zijn ogen schieten weer naar mij. 'Vertel me wat ze zei.'

'Dat kan ik niet. Ik begreep haar niet. Ze sprak een andere taal.'

'Doe niet zo stom! Je kunt...' Hij stopt en haalt een paar keer diep adem. 'Laten we bij het begin beginnen. Vertel me het hele verhaal. En dit keer zonder iets weg te laten. Over de grot, wat je zag en hoorde. Alles.'

Ik heb geen zin om het verhaal nog een keer te vertellen, maar zolang ik niks zeg, vertelt hij mij ook niets en dus ga ik zo snel mogelijk door de gebeurtenissen heen en vul hier en daar de details aan die ik de eerste keer heb weggelaten. Het gezicht in de rots. De ogen die opengingen. Later, toen het meisje tegen me begon te praten. In de grot, de nacht dat ik veranderde, toen ze tegen me krijste en me leek te waarschuwen.

'Je waarschuwen waarvoor?' vraagt Beranabus.

'Misschien dat Juni een verraadster was. Of dat Bill-E gevaar liep.'

'Misschien,' mompelt Beranabus. 'Jullie bloedband zou kunnen verklaren waarom ze zich om je lot bekommerde, maar het moet een ongelooflijke hoeveelheid energie en moeite hebben gekost om uit de rots te breken en zichzelf hoorbaar te maken. Alleen om jullie leven te redden?'

Hij verwacht geen antwoord en dus probeer ik er ook geen te geven. In plaats daarvan reageer ik op iets anders wat hij zei.

'Welke bloedband?' vraag ik ongemakkelijk.

Hij wuift met zijn hand alsof het niets te betekenen heeft. 'Dit meisje heette Bec. Ze is verre familie van je.'

'Familie?'

'In de verte,' zegt hij weer. 'Ze was een priesteres...

een tovenares. Een waarachtig dapper, onzelfzuchtig meisje.'

'Kende u haar?' vraagt Kernel. Hij staat een stukje achter ons aandachtig te luisteren. 'Leefde u toen?'

'Dan zou ik een echte Methusalem zijn,' zegt Beranabus. Hij kijkt weer naar de tekening en fronst. 'Ik moet weten wat ze zei. Het is mogelijk dat ze je gewoon wilde helpen, maar ik denk dat er meer aan de hand is. We moeten haar woorden bestuderen.'

'Maar ik heb toch al gezegd dat ik haar niet kon verstaan. Ik spreek haar taal niet.'

'Ik wel,' zegt Beranabus en dan gebaart hij naar de stoel die bij de tafel staat. 'Ik ga je nog een herinneringsbezwering leren, net als de bezwering die we gebruikten om je te bewijzen dat je de grootouders van je broer niet hebt gedood. Met deze bezwering zul je alles kunnen herhalen wat het meisje heeft gezegd. Dan kan ik het vertalen.'

Ik ga zitten. Beranabus maakt een hoekje van de tafel vrij en legt de tekening voorzichtig neer, het gezicht naar me toe gekeerd. 'Kijk in haar ogen,' zegt hij zacht. 'Vergeet alles wat er de laatste tijd is gebeurd. Laat je geest terugdwalen.' Hij geeft me een minuut de tijd en zegt dan: 'Herhaal mijn woorden.'

Ik zeg Beranabus' woorden zorgvuldig na. Naarmate de bezwering zich opbouwt, beginnen de lijnen op het papier te trillen. Ik ben verbijsterd, maar ik heb in mijn leven meer ongelooflijke staaltjes gezien en het lukt me om mijn concentratie te behouden. De lijnen beginnen te bewegen. Het gezicht komt niet uit het papier zetten zoals in de rotswand was gebeurd, maar het komt wel tot leven. De oogleden knipperen en de lippen gaan uiteen. Het meisje begint te praten. Er is geen geluid, alleen maar beweging. Maar wanneer de bezwering klaar is en Beranabus zwijgt, merk ik dat mijn eigen lippen synchroon met die op de tekening bewegen. Het is alleen niet mijn stem, het is de stem van het meisje.

Ik spreek gejaagd, angstig, de spieren in mijn keel doen pijn vanwege de ongebruikelijke woorden die ik moet vormen. Ik zie Kernel gefronst luisteren, niet in staat de woorden te begrijpen. Maar Beranabus begrijpt ze uitstekend. En hoe meer ik zeg, hoe meer hij wit wegtrekt en begint te trillen.

Nog voordat ik klaar ben, zakt de oude tovenaar op de grond in elkaar en kijkt me ontzet aan. Ik wil hem vragen wat het meisje zei, maar het lukt niet. Mijn lippen blijven bewegen en de woorden van het dode meisje blijven komen. Ik ben weer van voren af aan begonnen.

Beranabus kreunt en bedekt zijn oren met zijn handen. 'Nee,' hijgt hij. 'Vervloekt zij de goden. Néé!'

'Beranabus?' zegt Kernel, terwijl hij behoedzaam op zijn meester af loopt. 'Wat is er mis?'

'Het is zijn fout!' krijst Beranabus en hij wijst met een beschuldigende vinger naar mij. 'Als hij het me direct had verteld toen hij hier aankwam...' Hij schudt zijn hoofd en vloekt. Ik blijf ondertussen doorpraten, niet in staat de woordenstroom te stoppen. Als hij me zo laat, ben ik bang dat ik de rest van mijn leven zal blijven doorratelen.

Uiteindelijk staat Beranabus langzaam op, hij gromt iets en de woordenstroom stopt. Mijn mond gaat dicht. Ik wrijf over mijn pijnlijke kaken en keel en staar de tovenaar aan, me afvragend wat ik heb gedaan dat hem zo furieus maakt.

'Vervloekt jij, Grubitsch Grady,' zegt hij bitter. Hij jaagt me uit zijn stoel en laat zichzelf erin zakken. Hij pakt de tekening van tafel en drukt die tegen zijn borst. In zijn ogen staan woedende, machteloze tranen. 'Vervloekt zij de dag dat jij op deze aarde kwam. Als ik had geweten hoeveel ellende jij ging veroorzaken, zou ik je bij je geboorte hebben gedood, jij bemoeizuchtig, laf, destructief rotjoch.'

'Beranabus!' roept Kernel uit en mijn ingewanden krimpen ineen.

'Het is de waarheid!' schreeuwt Beranabus. 'Ik ben in de bres gesprongen voor die armzalige idioot, maar dat had ik niet moeten doen. Ik had hem gewoon... gewoon...' Hij stopt, sluit zijn ogen en kreunt. 'Nee. Je wist niet wat je deed. Ik kan het je niet kwalijk nemen.'

'Het kan me niet schelen wat u van me vindt,' snauw ik kwaad en beschaamd. 'Vertel me maar gewoon wat ze zei, afschuwelijke vieze ouwe vent.'

Beranabus opent zijn ogen en glimlacht flauwtjes. 'Dat lijkt er meer op, knul. Dat is de spirit.' Zijn glimlach verdwijnt. 'Bec probeerde je inderdaad te waarschuwen, maar het ging haar niet om jouw leven. De inzet was veel hoger. Ze...'

Hij schraapt zijn keel en vervolgt vlak: 'Ik weet niet hoe ze verzeild is geraakt waar ze nu zit, of hoe het haar gelukt is met jou in contact te komen, maar haar ziel zit sinds haar dood in die grot gevangen, verscheurd tussen leven en dood, tussen ons universum en dat van de Demonata in. Ik heb dat nog nooit meegemaakt. Geesten, dat wel, maar dat waren niet meer dan vage schimmen van de overledenen. Dit is anders. Op een of andere manier heeft ze de wetten van de dood kunnen trotseren en is haar ziel intact gebleven. Het zou niet...' Hij kucht en schudt zijn hoofd. Dan gaat hij verder.

'Vanwaar ze gevangen zit, kan Bec in het demonenuniversum kijken. Ze houdt de Demonata al eeuwenlang in de gaten. Al heel lang geleden kwam ze erachter dat een machtige demonenmeester een tunnel naar deze wereld probeert te openen. Toen ze voelde dat jij de ingang naar de grot aan het uitgraven was, vreesde ze dat dit wezen er lucht van zou krijgen en de oude tunnel in ere zou herstellen. Daarom probeerde ze je te waarschuwen. Een tijd later ontdekte ze een nog grotere dreiging; dat was de reden waarom ze de laatste keer dat ze contact met je maakte zo wanhopig was.

'Ik heb een noodlottige fout gemaakt. Ik dacht dat Lord Loss niet geïnteresseerd was in het openen van een tunnel tussen de twee universums. Maar hij is van mening veranderd. Toen Derwisj Juni over de grot vertelde, besloot haar meester twee vliegen in één klap te slaan. Zijn plan was om jou, Derwisj en je broer af te slachten of mee te nemen naar zijn eigen wereld en jullie daar te martelen, dan de tunnel te openen en de weg te bereiden voor de demonengelederen.'

Beranabus pauzeert. Kernel en ik staren hem aan. Sprakeloos.

'Nadat Derwisj haar over de grot had verteld, moet Juni een offer hebben gebracht,' vervolgt hij. 'Het duurt een paar weken voordat het bloed van het slachtoffer in de wanden van de tunnel is getrokken. Pas dan kunnen de openingsbezweringen worden uitgesproken. Ik heb de grot nauwlettend in de gaten gehouden, maar op de een of andere manier is het haar gelukt ongemerkt binnen te komen en iemand te doden.

'Lord Loss had de tunnel elk moment kunnen openen, maar hij besloot het met volle maan te doen, omdat er dan meer magie in de lucht hangt. Door gebruik te maken van de extra maanenergie, zou hij de bezweringen binnen een paar uur rond kunnen hebben. Mocht ik hem tijdens zijn bezigheden betrappen, dan zou hij me slechts die korte tijd op afstand hoeven houden.

'Aangezien hij van orde houdt, wilde hij op één en dezelfde nacht jullie doden of ontvoeren en de tunnel openen. Jammer genoeg, voor hem, brak op dat moment jouw magie door en dat gooide roet in het eten. Hij liep zijn kans mis om in de grot met de Gradyclan af te rekenen. Omdat het voor hem van groot belang was om eerst met jou af te rekenen alvorens de sluizen open te zetten, besloot hij zijn plannen een maand uit te stellen.'

'Dus dan hebben we nog tijd!' hijg ik. 'Het is niet te laat. We weten wat hij van plan is. We gaan terug naar de grot om hem tegen te houden.'

'We?' vraagt Kernel spottend.

'Ja! Ik zal vechten om Derwisj en Bill-E te redden. Het kan me niet schelen waarmee die monsters ons bekogelen. Het gaat om mijn familie, dat is anders.'

'Denk je echt dat je naar believen kunt besluiten wel of geen lafaard te zijn?' sneert Kernel.

Voordat ik kan reageren, komt Beranabus vermoeid tussenbeide. 'Het maakt niet uit. Jullie maken ruzie om niets. De tijd van heldendaden is voorbij.'

'Waar hebt u het over?' vraag ik scherp.

'Het is lastig om hier de tijd in de gaten te houden,' zegt Beranabus zacht, 'maar niet onmogelijk. Als ik wil kan ik uitreiken en een snelle controle uitvoeren in het heelal. Dat heb ik gedaan terwijl Bec aan het praten was. Je hebt je verrekend, Grubbs. Er zijn zeven weken voorbij gegaan sinds ik je uit het vliegtuig heb gered.'

Ik begin over mijn hele lichaam te trillen. 'Maar... nee... Misschien heeft Lord Loss het weer uitgesteld. Hij wilde me doden voordat hij de tunnel opende, maar ik leef nog. Misschien...'

'Nee,' onderbreekt Beranabus me. 'Toen ik eenmaal de datum had bepaald, heb ik mijn voelsprieten verder uitgestoken. Een tovenaar kan het voelen als er een omvangrijke scheur tussen de universums ontstaat. Als de bezweringen waarmee ik de grot had beveiligd intact waren, zou ik het eerder hebben geweten. Ik had ze moeten vernieuwen, maar ik dacht dat er geen haast bij was. Honderd jaar geleden zou ik zo'n fout nooit hebben gemaakt. Ik word zo oud...'

Beranabus zucht en laat zijn hoofd hangen. 'De demonen zijn volgens plan overgestoken. Ze hadden drie weken de tijd om zich te stabiliseren, te vermenigvuldigen en te verspreiden. Je stad is in hun handen. Je land waarschijnlijk ook. Derwisj... je broer... iedereen in Carcery Vale die je kent...' Hij eindigt in een afschuwelijk gefluister dat me vervult met een

angst die ik nooit eerder heb gevoeld. 'De Demonata hebben zich op hen uitgeleefd. Ze zijn nu allemaal
dood. En waarschijnlijk miljoenen anderen met hen.'

Deel 2

Bec-E

De boodschapper

Iedereen in Carcery Vale – dood. Ik kan het niet geloven. Ik wil mijn kop van mijn romp schreeuwen, Beranabus uitmaken voor leugenaar, eisen dat hij de waarheid vertelt. Ware het niet dat ik de waarheid in de ogen van de oude tovenaar kan zien. In zijn opgetrokken schouders. In de verslagenheid waarmee hij de papieren op zijn tafel ordent en zich voorbereidt om naar Carcery Vale te gaan om erachter te komen hoe ver de Demonata zich hebben verspreid. Hij heeft niet gelogen. Ze zijn echt doorgebroken. Derwisj en Bill-E zijn...

Ik maak de gedachte niet af. Ik word opgeslokt door misselijkheid en angst. De laatste keer dat ik me vanbinnen zo leeg heb gevoeld, was toen ik mijn ouders en zus verloor. Het duurde maanden voordat ik er weer een beetje bovenop was en dat was geheel aan Derwisj te danken. Nu ben ik alleen, en niet slechts verscheurd door verdriet, maar ook door schuldgevoel en schaamte. Ik weet niet of er nog een weg terug is. Gekte ligt op de loer, klaar om me op te slokken. Ik betwijfel of ik kan vechten.

Kernel zit bij het vuur en staart somber in de vlammen. Van tijd tot tijd gaat er een huivering door hem heen wanneer hij aan het op handen zijnde gevecht denkt. Hij vecht al jaren tegen demonen, maar dan wel in hun universum, waar zijn krachten veel groter zijn dan hier. Op aarde zijn z'n magische talenten veel beperkter. De Demonata zijn hier natuurlijk ook zwakker en als het er een paar waren geweest, zouden Beranabus en hij hun kans schoon zien. Maar als het er duizenden zijn die overgestoken zijn en tekeergaan...

Plotseling een bonkend geluid. Drie dreunen, een pauze, dan weer drie dreunen. Beranabus en Kernel springen zenuwachtig overeind bij het eerste geluid en ontspannen zich dan weer.

'Dat was ik nog vergeten,' zeg ik zacht, terwijl de gekte zich tijdelijk terugtrekt, ervan overtuigd dat ze me toch elk moment te pakken kan nemen. 'Die geluiden heb ik de afgelopen weken vaker gehoord. Ik ben de ladder op gegaan om uit te zoeken waar ze vandaan kwamen, maar ik kon er niet uit.'

'De ingang is beschermd door bezweringen. Alleen Kernel en ik kunnen hem openen.' Hij knikt naar Kernel, die vervolgens naar de ladder loopt. 'Wees voorzichtig!' roept Beranabus hem achterna. 'Misschien is het niet een van ons.'

Even later duikt Kernel weer op, gevolgd door een oudere Indiase vrouw in een lichtblauwe sari. Hoewel ze mankt, houdt ze hem goed bij. Ze heeft een vriendelijk gezicht, dat echter door zorgen is getekend. Eerst weet ik niet waarvan ik haar ken. Dan herinner ik het me weer: uit een droom die ik vorig jaar in Slagtenstein had.

'Sharmila,' begroet Beranabus haar lusteloos.

'Meester, er is iets vreselijk...' begint de vrouw op snelle toon.

'Ik weet het,' zegt Beranabus zuchtend. 'De Demonata zijn overgestoken. Ik ben er net achter gekomen. Ik ga zo meteen naar Carcery Vale, maar misschien kun je iets meer vertellen voordat ik ga.'

De vrouw staart Beranabus uitdrukkingsloos aan. 'U gaat erheen?'

'Ik denk dat ik wel moet,' zegt Beranabus. 'We moeten stelling nemen, nietwaar?'

'Maar het zijn er zo veel,' zegt de vrouw hijgend.

Beranabus fronst zijn wenkbrauwen en kijkt mij dan schuin aan. 'Dit is Sharmila Mukherji, een van mijn Discipelen. Sharmila, dit is Grubitsch Grady. Hoewel ik geloof dat hij liever Grubbs wordt genoemd. Hij is de neef van Derwisj.'

Sharmila kijkt me onthutsend kwaad aan. '*Derwisj!* Híj hield de wacht. Híj moest ervoor zorgen dat de tunnel niet opnieuw geopend werd. Híj heeft gefaald. Híj –'

'Ik geloof niet in beschuldigende vingertjes,' onderbreekt Beranabus haar kortaf, voor het gemak even vergetend dat hij nog niet zo lang geleden met een beschuldigend vingertje naar mij heeft gewezen.

'Ik vertrouwde net zo op Derwisj als op jullie allemaal. Ik weet zeker dat hij alles heeft gedaan wat in zijn mogelijkheden lag. Vertel me nu hoe de zaak ervoor staat. Snel.'

'Dat heeft geen zin,' bijt Sharmila hem toe. 'We hebben verloren. Ze...' Ze stopt en kijkt om zich heen. Ze glimlacht kort wanneer ze Kernel ziet. En fronst wanneer ze Beranabus weer aankijkt. 'Ik heb dagenlang in de grot voor de ingang zitten wachten zonder contact met jullie te kunnen maken. Ik heb jaren geleden al gezegd dat jullie ons de toegangsbezweringen moeten leren, zodat we jullie bij noodgevallen snel kunnen bereiken. Dan nog was het waarschijnlijk te laat geweest, maar als ik jullie meteen had kunnen vinden...'

'Achteraf heb je makkelijk praten,' zegt Beranabus snuivend. 'Dat besluit heb ik lang geleden genomen en ik blijf erbij, zelfs nu. Het was van wezenlijk belang dat ik mezelf beschermde tegen...' Zijn stem sterft weg. Dan gromt hij tegen zichzelf. 'Dit leidt nergens toe. Vertel me wat er aan de hand is. *Alsjeblieft.*'

'Ik ben niet op de hoogte van de laatste ontwikkelingen,' zegt Sharmila zuur. 'Tot vier dagen geleden had ik contact met Shark, maar daarna heeft hij de communicatie verbroken. Ik denk dat hij zijn geduld heeft verloren en alleen ten strijde is getrokken. Hij is nooit de meest...'

Ze maakt een beweging alsof ze iets van zich afschudt, recht dan haar rug en praat snel verder. 'Drie weken geleden zijn de Demonata in groten getale overgestoken. Ze gingen als soldaten te werk, georganiseerd, ze vielen van tevoren vastgestelde doelen aan en plaatsten het gebied rond de grot onder controle. Daarna is het rommeliger geworden, hebben demonen zich afgesplitst en zijn ze er in alle richtingen vandoor gegaan. Maar in het begin waren ze georganiseerd. Dat verwachtten we niet. Ze hebben zich nog nooit op grote schaal verenigd. Wie zou het commando hebben gevoerd? Wie heeft de macht om zo veel monsters bijeen te brengen, ook al was het van korte duur?'

'Dat doet er nu niet toe,' zegt Beranabus. 'Dat kunnen we later uitzoeken. Vertel me meer over de inval. Opereerden ze zowel overdag als 's nachts?'

'De meeste wel,' antwoordt Sharmila. 'Er waren ook wel zwakkere demonen bij, maar de eerste golf bestond voornamelijk uit zeer krachtige beesten. De felle zon deed hun niets.'

'Vreemd.' Beranabus fronst. 'Ze kunnen zich niet van tevoren hebben gegroepeerd. Van een dergelijke ontwikkeling zou ik al veel eerder lucht hebben gekregen. Ze moeten zijn opgeroepen toen de grot weer in gebruik was genomen. Maar dat zo veel demonen zo snel zijn samengekomen... Je hebt gelijk. Dit was een uitzonderlijke aanval. Er moet achter de schermen een leider zijn geweest. Een die contacten legde, bondgenoten zocht, in het geheim de krachten bundelde. Iemand die iedereen instrueerde dat ze een oproep konden verwachten zodat ze onmiddellijk konden reageren.'

Hij rilt. 'Onze grootste angst is bewaarheid. De wanorde en de verdeeldheid onder de Demonata is altijd onze sterkste troef geweest. Maar als ze uiteindelijk een leider hebben gevonden, iemand die hen verenigt en aanvoert...' Hij wuift de gedachte terzijde en geeft Sharmila met een bruuske beweging te kennen dat ze moet doorgaan.

'Binnen één dag hadden ze Carcery Vale en de directe omgeving onder controle,' vervolgt Sharmila. 'De volgende dagen en nachten verspreidden ze zich gestaag, ze namen de omliggende steden en dorpen in en richtten er basiskampen in. De meeste mensen waren toen hun huizen al ontvlucht, maar dat liet hen koud. Ze waren meer geïnteresseerd in grenzen dan in slachtoffers. Alweer zeer ongebruikelijk gedrag voor demonen.'

'Zijn er overlevenden?' vraag ik. Ik wil haar niet onderbreken, maar ik móét het weten. 'Is er in Carcery Vale iemand gespaard gebleven?'

Sharmila lacht ruw. 'Laat me niet lachen! Het was een bloedbad. Ze hebben er een paar in leven gehouden om ze te martelen, maar de meesten zijn die eerste dag al afgemaakt.'

'Maar niet iedereen,' fluister ik. Er vormt zich een ijl straaltje hoop, dat de gekte naar de achtergrond dringt, dat me een schim van een reden geeft om bij mijn verstand te blijven. 'Lord Loss haat Derwisj en Bill-E. Hij zou ze nooit onmiddellijk doden. Misschien heeft hij ze gespaard om ze op zijn gemak te kunnen kwellen.'

'Het doet er niet toe,' zegt Beranabus kortaf. 'Als we door een leger demonen van elkaar gescheiden zijn, maakt het niet uit of ze nog in leven zijn of niet. Ga verder met je verslag, Sharmila.'

De Indiase haalt haar schouders op. 'De rest lijkt me duidelijk. Een schokgolf door de bevolking, eerst verwarring en ontkenning. We leven in door de wetenschap geregeerde, verlichte tijden. Mensen geloven niet in demonen. Zelfs toen de cameraploegen het gebied in gingen en de eerste beelden verschenen, weigerden de meeste mensen het te geloven. Ze dachten dat ze met de computer gemaakt waren, dat ze het werk waren van een grappenmaker of een uitzonderlijk knappe filmproducent die zijn nieuwe film onder de aandacht wilde brengen. Er gingen geruchten dat Davida Haym een jaar geleden haar eigen dood hiervoor in scène had gezet. Ironisch, nietwaar? Maar naarmate de tijd verstreek, drong het besef door. Er waren te veel getuigenverklaringen, een onophoudelijke stroom reportages en de overheid deed niets om het te ontkennen.'

'Lang leve de overheid,' snoof Kernel. 'Hoe hebben onze grote leiders gereageerd?'

'Traag,' antwoordt Sharmila. 'We hebben ze in het verleden keer op keer gewaarschuwd voor de Demonata, ondanks dat het volgens Beranabus verspilde moeite was.'

'Ik ben nog nooit een politicus tegengekomen die het niet waard was om in een put met Kallin te worden gegooid,' gromt Beranabus.

'Niemand sloeg acht op onze waarschuwingen,' vervolgt Sharmila. 'Ondanks al het bewijsmateriaal en onze voorspelling van wat er zou gebeuren als het ooit tot een langdurige inval zou komen, werden we als een stelletjes zonderlingen behandeld. Wereldwijd hebben we altijd een aantal hooggeplaatste medestanders gehad, maar te weinig om echt zoden aan de dijk te zetten.

'De meeste overheden verkeerden die eerste week in blinde paniek. Eerst moest de echtheid van de reportages bevestigd worden – dat duurde een paar dagen. Toen werd er gedebatteerd over de betekenis ervan, wat de demonen van plan waren, hoe ze tot bedaren gebracht konden worden, wat het antwoord zou moeten zijn als de demonen weigerden te onderhandelen. Sommige overheden gingen snel tot handelen over en stuurden er troepen naartoe. Dat waren voornamelijk de omliggende landen, want die hadden door dat zij hierna aan de beurt waren. Maar in de tweede week begon de oorlog pas echt.'

'Oorlog,' mompelt Beranabus, en zijn gezicht vertrekt. 'De meeste mensen weten niets van échte oorlogvoering. Ze leveren hun dwaze territoriale gevechten, maken elkaar onbekommerd genadeloos af en denken heel wat af te weten van oorlog en leed. Maar de echte oorlog heeft altijd al ginds op de loer gelegen, onzichtbaar, onvoorstelbaar. Vijanden die niet met gewone wapens gedood kunnen worden, die gelegerd zijn in een ander universum, die alleen maar geïnteresseerd zijn in het afslachten van elk levend wezen op deze aarde.'

'Nu weten ze het,' zegt Sharmila grimmig. 'Ze hebben het op televisie en internet kunnen zien. Hordes soldaten die kogels afschieten op demonen, hen met bommen bestoken. Demonen die door de kracht van de kogels neerstorten, uit elkaar worden gerukt door de bommen. Maar die vervolgens weer opstaan, hun lichaamsdelen weer aan elkaar plakken en verder oprukken, onstuitbaar. De soldaten scheuren ze aan flarden. Er worden nog steeds meer troepen gestuurd, meer raketten afgevuurd, dat waren tenminste de laatste berichten die ik hoorde. Maar ze zien in dat het zinloos is. Nu het te laat is beseffen ze met wat voor monsters ze te maken hebben. De mensheid heeft de afgelopen drie weken een hoop geleerd over oorlog. Meer dan ze ooit had gewild.'

'Zijn er nucleaire vergeldingsacties geweest?' vraagt Beranabus kalm.

'Nucleair?' roepen Kernel en ik tegelijkertijd uit.

'Het zou niet de eerste keer zijn dat politici hun

toevlucht nemen tot een nucleaire aanval,' zegt Beranabus. 'Ze zeggen dat ze dat soort bommen niet fabriceren om te gebruiken, maar naarmate de druk toeneemt, komt hun vinger toch steeds dichter in de buurt van het knopje. Wie dat niet ziet is een dwaas.'

'Nog geen nucleaire aanvallen,' zegt Sharmila. 'Er is over gepraat en zonder de inzet van de Discipelen was het misschien al zover. Maar er is eindelijk naar ons geluisterd en nu verdringen de hoge pieten elkaar omdat ze niet weten hoe snel ze ons als adviseur moeten binnenhalen. We hebben ze verteld dat een nucleaire aanval niets uithaalt tegen de demonen, dat de tunnel een magische tunnel is en alleen met behulp van magie kan worden gesloten. Dat vonden ze geen leuk bericht. Sommigen wilden het erop wagen en toch een kernbom gooien. Maar voorlopig staat dat niet op de agenda. Tenminste, het stónd niet op de agenda...'

Dit is gestoord. We staan hier te praten over kernbommen die op Carcery Vale worden gegooid. Dit is waanzin.

'We moeten iets doen!' roep ik uit. Beranabus, Sharmila en Kernel kijken me aan, met opgetrokken wenkbrauwen. 'We moeten... we moeten...'

Beranabus lacht cynisch wanneer mijn woorden stokken. 'Ik zou willen dat je je zin afmaakte. Als je een plan hebt, zou ik het graag willen horen. Maar je hebt natuurlijk geen plan. Ik ook niet. Zullen we Sharmila laten uitspreken? Wie weet vallen de stukjes dan op hun plek.' Hij richt zijn aandacht weer op de Indiase. 'Wat hebben de Discipelen nog meer gedaan behalve adviseren?'

'Zodra we begrepen wat er aan de hand was, heeft Meera Flame er een klein team naartoe gestuurd,' zegt Sharmila.

'Meera,' kreun ik. 'Is ze...?'

Sharmila zucht. 'De meesten van ons vonden het te vroeg. We wisten te weinig van de situatie af. De algemene stemming was om een dag of twee te wachten, meer informatie te verzamelen en de demonen dan een zware slag toe te brengen. Meera was tegen. Derwisj was haar vriend. Ze dacht dat hij misschien nog in leven was. Ze vroeg vrijwilligers en een paar van ons schaarden zich aan haar zijde. Ze gingen erheen. Sindsdien heeft niemand iets van hen gehoord.'

'En de rest?' vraagt Beranabus terwijl ik sta te duizelen van het nieuws dat nog een van mijn vrienden naar alle waarschijnlijkheid dood is. 'Wat hebben jullie gedaan toen jullie de situatie eenmaal in kaart hadden gebracht?'

'Niet veel meer dan Meera,' zegt Sharmila ongelukkig. 'We hebben de opening in de grot zo nauwkeurig mogelijk gelokaliseerd en daar hebben we toegeslagen, maar de demonen hadden er wachtposten geïnstalleerd. Onder aanvoering van Shark gingen acht van onze beste Discipelen de tunnel in, midden op de dag in de hoop dat we ze konden verrassen. Maar ze stonden ons op te wachten. Twee hebben het er levend van afgebracht. De rest...'

'Dat is niet best,' gromt Beranabus. 'Jullie hadden beter op mij kunnen wachten. Ik weet dat het niet kon,' voegt hij er snel aan toe wanneer Sharmila begint te protesteren. 'Jullie hebben gedaan wat onder normale omstandigheden het juiste was geweest.

Meestal kun je er maar beter zo vroeg mogelijk bij zijn. Maar zoals je zelf al zei, is dit een hoogst ongebruikelijke aanval. De demonen worden aangevoerd door een leider die op de hoogte is van menselijke oorlogvoering. Een dergelijke leider maakt niet de fout de grot onbewaakt achter te laten. In dit geval...'
Hij gaat nog net niet zover dat hij Sharmila en de andere Discipelen openlijk bekritiseert.

'Sindsdien zijn we alleen bezig geweest met het beperken van de schade,' zegt Sharmila ijzig, ter afsluiting van haar verslag. 'We hebben al het mogelijke gedaan om ze tegen te houden. We hebben het bevel gegeven om alle vliegtuigen aan de grond te houden, alle schepen terug te halen of te vernietigen. We hebben een wacht uitgezet om te voorkomen dat de demonen zich verder verspreiden. Maar het is een verloren zaak. Binnen een paar weken – als het niet al zover is – begint de grote uittocht. Als ze het land eenmaal volledig in hun macht hebben, rukken ze op naar het volgende land. Enzovoorts. We zullen ons verzetten. De boten die ze hebben ingepikt bombarderen en de vliegtuigen neerhalen, en afrekenen met de demonen die kunnen vliegen. We zullen soldaten sturen om ze tegen te houden, zodat we niet de hele tijd als gekken van hot naar her hoeven te vliegen. Maar er zijn er al te veel om nog aan te kunnen en elke dag steken er meer over. Als we het niet bij de bron kunnen stoppen...'

Sharmila valt stil. Beranabus zit fronsend op zijn rechterduimnagel te bijten.

'We zouden ze aan hun kant kunnen aanvallen,' oppert Kernel. 'Oversteken naar hun universum, op zoek gaan naar het andere eind van de tunnel en daar toeslaan.'

'Daar houden ze vast rekening mee,' mompelt Beranabus. 'Ze zullen er een wacht hebben neergezet. En elke demon binnen een straal van duizend werelden haast zich nu naar de tunnel, allemaal even begerig om erdoorheen te glippen en hun klauwen in een paar mensen te zetten voordat de hele mensheid is uitgeroeid. We zouden geen schijn van kans maken. Het is te laat om vanaf die kant iets te doen. Het is Carcery Vale of nergens.'

'Dan wordt het Carcery Vale,' zegt Kernel en hij staat op. 'Wanneer gaan we?'

'Ja,' zeg ik en ik ga naast Kernel staan. 'Wanneer?' Ik verwacht een snijdende opmerking, maar hij kijkt me alleen maar rustig aan en knikt dan goedkeurend.

'Spoedig,' mompelt Beranabus. 'We gaan eerst wat slapen.'

'Slápen?' barst ik uit. 'We hebben geen tijd te verliezen!'

'Laat ik heel duidelijk zijn,' onderbreekt Beranabus me. 'De mensheid vertoont haar laatste stuiptrekkingen. De oorlog is gekomen en is beslecht – we zijn verloren. We gaan nog een laatste poging doen, we vallen Carcery Vale aan met alles wat we in huis hebben en sterven in het harnas. Maar sterven zullen we, tenzij er een wonder gebeurt. En hoewel ik in wonderen geloof, denk ik niet dat er dit keer sprake van zal zijn. Als we naar Vale gaan, gaan we om te sterven. En als we eenmaal dood zijn, zal de rest van de mensheid weldra volgen.

'Maar we moeten onszelf voorhouden dat we wel

een kans maken. Als we ons verstand niet willen verliezen, moeten we doen alsof we geloven dat we het zullen klaarspelen. Dat betekent dat we fris en monter het strijdperk betreden, zowel fysiek als mentaal in opperste conditie. En dus ga ik slapen, me er volledig van bewust dat dit hoogstwaarschijnlijk mijn allerlaatste dutje zal zijn – de eeuwige sluimer buiten beschouwing gelaten – in de hoop dat het íets zal uithalen, hoe weinig ook. Ik raad jullie met klem aan mijn voorbeeld te volgen.'

Na die woorden stommelt hij naar het tapijt dat dienst doet als zijn bed, gaat liggen, sluit zijn ogen, mompelt een bezwering en valt in slaap.

'Hij heeft gelijk,' zegt Sharmila zacht. Wanneer ze me aankijkt zie ik alleen maar somberte in haar ogen. 'Ik had gehoopt dat hij een sprankje hoop kon bieden, dat hij een geheime manier wist om deze toestand te stoppen. Maar ik geloofde het zelf niet. We moeten slapen. Als we eenmaal op pad gaan, krijgen we misschien niet meer de gelegenheid.'

'Ik haal een deken voor je,' zegt Kernel.

'Dank je wel.'

Terwijl Kernel op zoek gaat naar een extra deken, kijkt Sharmila me onderzoekend aan. 'Wat ik daarnet over je oom zei... ik meende het niet. Ik wilde gewoon iemand de schuld geven. Ik weet zeker dat het niet zijn fout is. Sommige dingen zijn gewoon niet tegen te houden.'

'Het is oké,' mompel ik, maar een deel van me is het niet met haar eens. Derwisj was om de tuin geleid door Juni. Mogelijk was hij gek van de zorgen om mij. Hij was er met zijn gedachten niet bij. Dus kon zijn concentratie zijn verslapt, waardoor hij zijn werk misschien niet goed heeft gedaan. Wie weet ís het wel deels zijn fout. Om te beginnen omdat hij Juni Swan niet heeft doorzien.

Kernel maakt Sharmila's bed op. Zodra hij klaar is gaat ze liggen en prevelt ze dezelfde bezwering als Beranabus. Haar gezicht verzacht zich en ik zie dat ze in een aangename droom is beland.

'En jij?' vraagt Kernel. 'Zal ik je de bezwering leren?'

'Laat maar. Het voelt niet goed om nu te gaan slapen.'

Kernel haalt zijn schouders op. 'Anders ga je maar liggen malen over wat er is gebeurd en wat er komen gaat.'

Ik denk na over zijn woorden en zucht dan vermoeid. 'Oké, vertel het me maar.' Enkele tellen later trekt de magie me onder zeil en dankbaar tuimel ik in de armen van een doelbewust gekozen droomloze slaap.

Walkuren

In Sharmila's persoonlijke vliegtuig schieten we door de lucht. Op een andere moment had ik het geweldig gevonden, maar nu laat het me koud. De veelzijdige Sharmila is de piloot.

Het toestel heeft zes stoelen. Beranabus heeft de achterste twee genomen en is aan het bellen. We hadden een venster kunnen gebruiken om in Carcery Vale te komen en zodoende tijd kunnen besparen, maar hij wilde eerst met de Discipelen praten om te zorgen dat ze zich op de juiste posities bevonden. Kernel zit in het midden op de linkerstoel naar de wolken te staren. Ik zit voorin op de rechterstoel en neem de kranten door.

Verslagen van algehele chaos en doodsangst. Paginagrote foto's van demonen en hun slachtoffers. Een keur aan monsters waar de meeste mensen tot dan toe nog nooit van gedroomd hadden. Ellenlange rommelige lijsten slachtoffers. Ooggetuigenverslagen van overlevenden. Speculaties en theorieën over waar de Demonata vandaan komen. Wat zijn hun motieven? Hoe kunnen we ze doden?

Dat is de meeste brandende vraag: hoe kunnen we de indringers vernietigen? De mensheid heeft nooit eerder een onstuitbare vijand het hoofd hoeven bieden. Er zijn ontelbare films en boeken over dergelijke confrontaties verschenen, maar die ruimtewezens of monsters hadden altijd een zwakke plek, een achilleshiel die door een of andere onberispelijk uitziende held werd ontdekt en op het laatste nippertje in de strijd gegooid. Maar dat is hier niet het geval. De verhalen dateren van de eerste dagen van de invasie en er klinkt nog een sprankje hoop in door. Maar zelfs hier voel ik de wanhoop nu het besef langzaam doorsijpelt: we kunnen ze niet doden!

Er zijn een paar artikelen over de Discipelen, maar ze zijn vaag en onsamenhangend. Geruchten over een groep experts met kennis van en ervaring met demonen, maar geen woord over tovenaars en geen namen.

Sommige oudere kranten hebben nog hun gewone indeling, de sportverslagen en de roddelrubrieken, de bekende vulling. Een poging om te doen alsof alles normaal is. Maar de latere edities gaan uitsluitend over de Demonata. Nergens anders over, de ene na de andere pagina vol met horror en rampen.

Na een halfuur stop ik met lezen. Ik weet genoeg. De mensheid is tegen een betonnen muur aan gelopen. We naderen ons eind, net zoals de dinosaurus miljoenen jaren geleden. Met als enige verschil dat wij journalisten hebben om elke klap en tegenslag op te tekenen, onze snelle, pijnlijke ondergang tot in de levendige en kwaadaardige details te verslaan. Persoonlijk denk ik dat de dinosaurussen een betere deal hadden. Als het om een op handen zijnde onvermijdelijke uitroeiing gaat, is de gelukzaligheid met de onwetenden.

Uren later landen we op een privélandingsbaan vlak bij een klein stadje in de buurt van de grens waar mensen en demonen in hun strijd zijn verwikkeld. Langs de landingsbaan staan nog enkele vliegtuigen en helikopters geparkeerd. Aan de rand staat een groot, grijs, vierkant gebouw. Als we eenmaal zijn uitgestapt lopen we ernaartoe, Beranabus voorop, met de ferme pas van een zelfverzekerde bevelhebber.

In het gebouw bevinden zich elf mannen en vrouwen, van verschillende etnische afkomst. Sommigen zijn niet veel ouder dan ik, een paar zien eruit alsof ze in de zeventig of tachtig zijn, en de rest behoort tot de groep dertigers tot en met zestigers. De meesten zien er verzorgd uit, hoewel een of twee qua sjofelheid kunnen wedijveren met Beranabus. Ze zien er allemaal moe en afgepeigerd uit.

'Gegroet, grote leider!' roept een fors gebouwde man in legertenue ironisch en hij salueert wanneer Beranabus binnenkomt. Op zijn knokkels zijn letters getatoeëerd en op de huid tussen zijn duim en wijsvinger een haai. Net als bij Sharmila herken ik zijn gezicht en weet ik hoe hij heet, ook al hebben we elkaar nooit ontmoet.

'Shark?' Beranabus kijkt de man met toegeknepen ogen aan. 'Sharmila dacht dat je dood was.'

'Toen je het contact verbrak, vreesde ik het ergste,' zegt Sharmila, terwijl ze om Beranabus heen loopt.

'Ik kon geen eeuwigheid op de Messias blijven wachten,' gromt Shark. 'Er moest gevochten worden. Ik wilde je terugroepen, maar ik wist dat je niet zonder onze roemrijke leider zou terugkeren.'

'Ik moest wachten,' zegt Sharmila stijfjes. 'Beranabus is onze enige hoop.'

Shark snuift. 'Hóóp? Wat is dat ook alweer? Ik heb er ooit eens iets over gelezen, in een sprookje.'

'Stil, jullie,' zegt Beranabus zacht en de grote man gehoorzaamt, hoewel hij Beranabus beschuldigend aankijkt, alsof hij het de tovenaar aanrekent dat we ons in deze uitzichtloze situatie bevinden.

Beranabus richt zich tot de anderen. 'Zijn er nog meer die zich bij ons aansluiten?'

'Misschien nog twee of drie,' antwoordt een kleine, donkere vrouw.

'Dan begin ik.' Beranabus kijkt rond en laat zijn blik om de beurt op de aanwezigen rusten. 'Ik wil geen valse hoop wekken. We zitten diep in de problemen en ik betwijfel of het ons gaat lukken eruit te komen. Maar de strijd is nog niet verloren. Als het ons lukt de tunnel te vernietigen die de twee universums met elkaar verbindt, zullen de demonen weer hun eigen wereld in gezogen worden.'

Er ontstaat opgewonden gemompel. 'Weet u dat zeker?' vraagt Shark wantrouwig. 'Of zegt u dat maar om ons wat op te peppen?'

'Heb ik ooit tegen jullie gelogen?' kaatst Beranabus scherp terug. Hij wacht een moment. Wanneer niemand reageert, gaat hij verder. 'Een van de menselijke bondgenoten van Lord Loss heeft iemand in de grot gedood om het openen van de tunnel in gang te zetten. De moordenaar heeft zich later verenigd met de rots die oorspronkelijk de toegang afsloot. Hij of zij is levend onderdeel geworden van de opening. Als we de muren van de tunnel ontmantelen, sterft de moordenaar, worden de demonen terug hun eigen universum in gezogen en is de wereld gered.'

'Hoe moeten we de tunnel sluiten?' vraagt Sharmila.

'Diep in de grot bevindt zich een magneetsteen,' zegt Beranabus. 'De demonen gebruiken zijn kracht. Als ik erbij kan komen, kan ik hem met bepaalde bezweringen buiten werking stellen en ons bevrijden van onze onwelkome gasten. Iemand zal me in de grot moeten helpen, Kernel of Grubbs. De rest hoeft er alleen maar voor te zorgen dat wij daar komen.'

'Wij moeten de weg voor jullie vrij maken, ook al kost het ons het leven?' gromt Shark.

'Inderdaad,' zegt Beranabus. 'Dit is een zelfmoordmissie. We gaan ons in een broeinest van demonen storten. Ze zitten op ons te wachten, ze verwachten een aanval. Ze zullen met veel meer zijn dan wij en ze zijn waarschijnlijk ook machtiger. De kans dat we de magneetsteen bereiken is minimaal. Zelfs als de jongens en ik het halen naar de steen, zijn jullie verdoemd. Jullie moeten blijven vechten en ons rugdekking geven terwijl ik de bezweringen uitspreek. Ik betwijfel of iemand het zal overleven.'

'Dat is nogal veel gevraagd,' zegt Shark ijzig.

'Niet meer dan dat ik van mezelf vraag. Een offer heeft deze tunnel geopend en slechts een offer kan hem weer sluiten.' Hij werpt een blik op Kernel en mij, aarzelt, en besluit dan toch door te gaan. 'Om de bezwering in werking te laten treden, moet ik Kernel of Grubbs doden. Als zij beiden eerder omkomen, zal ik mijn eigen leven offeren. Ik denk dat het me zal lukken. Voor mij zal het hoe dan ook mijn dood betekenen. Om de bezwering uit te spreken, zal ik tot diep in de tunnel moeten doordringen. Als het is volbracht, zal ik me niet meer een weg naar buiten kunnen vechten. Ik ben te oud en te moe.'

Beranabus kijkt Shark strak aan en wacht op zijn reactie. De grote man haalt bedachtzaam zijn schouders op en Beranabus richt zich weer tot het hele gezelschap. 'Ik denk niet dat iemand van ons deze dag overleeft. Maar als we slagen, blijft de mensheid bestaan.'

'Totdat de volgende tunnel wordt geopend,' merkt Sharmila op. 'Als wij allemaal omkomen, wie moet dan de mensheid de volgende keer beschermen?'

'Dat is niet ons probleem,' zegt Beranabus. 'Ik geloof heilig dat het universum met nieuwe helden zal komen om te strijden voor de goede zaak. Maar wat er ook gebeurt, het is niet meer aan ons. Dit is wat we moeten doen om de huidige bedreiging het hoofd te bieden. Kan ik op jullie rekenen? Zo niet, zeg het dan nu en laat de rest aan de slag gaan.'

Niemand haakt af. De meesten zien er niet erg gelukkig uit – hoe zou dat verdomme ook kunnen! – maar ze accepteren het vonnis van de tovenaar. Wanneer Beranabus dat ziet, glimlacht hij goedkeurend en maakt dan een rondje om met de Discipelen afzonderlijk te babbelen, te zorgen dat ze goed zijn voorbereid op het gevecht, hen van advies en strategische tips te voorzien, het moreel te versterken.

Kernel en ik staan midden in de ruimte en kijken elkaar onzeker aan. Beranabus' mededeling dat een van ons geofferd moet worden, kwam als een donderslag bij heldere hemel. We weten geen van beiden wat we moeten zeggen. Om een gevecht aan te gaan terwijl je weet dat je het waarschijnlijk verliest is tot daaraan toe. Maar om te horen te krijgen dat je om te winnen je keel moeten laten doorsnijden is een heel ander verhaal.

Sharmila komt naar ons toe. 'Had hij jullie niet verteld dat jullie gedood zouden worden?'

'Hij is een druk bezet man,' snauwt Kernel. 'Hij heeft niet de tijd om ons alles te vertellen.'

Sharmila zucht. 'Je bent trouw. Dat is mooi. Maar ben je trouw tot in de dood? Ga je jezelf laten afslachten?' Ze kijkt mij aan. 'En jij?'

'We zullen doen wat we moeten doen,' zegt Kernel heftig. 'We zijn geen naïeve kinderen. We kennen onze plicht. Als we moeten sterven, het zij zo. Liever niet, maar als we verliezen worden we toch door de demonen gedood, en waarschijnlijk veel pijnlijker en langzamer.'

Sharmila kijkt ons scheef aan. 'Sorry als ik kritisch overkwam. Maar ik wilde weten voor wat voor jongens ik ga vechten en sterven. Nu ben ik er gerust op dat jullie het niet laten afweten als het moment daar is. Bedankt voor de geruststelling.'

Ze loopt weg om met Beranabus te praten. Kernel kijkt me van opzij aan. 'Normaal gesproken praat ik niet voor iemand anders, vooral niet als ik niet zeker ben van die persoon, maar nu leek het me de juiste reactie.'

'Maak je maar geen zorgen om mij,' zeg ik stijfjes. 'Ik zal jullie heus niet in de steek laten.'

'Ik wilde dat ik het kon geloven.' Hij zegt het niet

om me te kwetsen. Hij zegt gewoon de waarheid zoals hij die ziet.

'Ik ben er in het universum van de Demonata als een bange hond tussenuit geknepen,' fluister ik blozend. 'Maar dit ligt anders. Ik zal vechten. En ik zal sterven als dat moet. Ik ben niet bang om te sterven, niet banger dan de rest van de mensen hier.'

'Werkelijk?' Kernel is niet overtuigd. 'Als ik sneuvel en het lukt jou en Beranabus om bij de magneetsteen te komen, laat je hem dan een mes door je hart jagen of je hoofd afhakken?'

'Zonder een moment te aarzelen. Niet omdat ik zo ongelooflijk dapper ben, maar omdat ik vreselijk bang ben.' Ik glimlach flauwtjes. 'Als ik me niet door hem laat doden, zal ik moeten vechten om te overleven in een wereld die door demonen is overspoeld. Die gedachte jaagt me meer angst aan dan de dood.'

Kernel grinnikt. 'Zal ik je eens iets gestoords vertellen? Ik geloof je.' Hij steekt zijn hand uit en ik schud hem. 'Succes, Grubbs.'

'Succes.'

'Mogen we beiden eervol sterven,' zegt hij.

'En zo veel mogelijk godvergeten demonen met ons meesleuren,' voeg ik er met een verwrongen grijns aan toe.

We maken ons klaar. Iedereen rust zichzelf uit met geweren, messen, bijlen – zo'n beetje alles wat we maar kunnen dragen. Demonen kunnen niet met gewone wapens worden gedood, maar we kunnen de lemmeten en kogels met magie doordrenken.

'Hoeveel Discipelen zijn er die demonen kunnen

doden?' vraag ik Kernel, terwijl ik een aantal zwaarden vergelijk op gewicht en hoe ze in de hand liggen.

'In dit universum?' Hij denkt na. 'Als het een gewone oversteek was geweest... Sharmila, Shark, een of twee anderen. Maar omdat het een tunnel is en geen venster, is er meer energie in de atmosfeer. Anderen zouden daar nu ook gebruik van kunnen maken en kunnen doden. Als we geluk hebben.'

Terwijl we onszelf in gereedheid brengen, arriveren er nog een paar Discipelen. Een petieterige oude vrouw, die met een stok loopt. Wanneer ik zie dat ze een strijdknots opraapt en die boven haar hoofd in de rondte zwaait, moet ik glimlachen. Een paar anderen grinniken ook. Maar dan prevelt ze een korte bezwering en er schieten zeven centimeter lange lemmetten uit de knots, schitterend van de magische energie. Daarna twijfelt niemand meer aan haar.

Het is tijd om de helikopters in te gaan die Shark dankzij zijn contacten bij de verschillende legers heeft kunnen regelen. Het is de bedoeling dat we zo dicht mogelijk bij de ingang van de grot worden afgezet. Drie helikopters, met elk vijf van ons. Ik zit bij Beranabus, Kernel, Shark en Sharmila, de kern van onze strijdmacht. De piloot is een gewone man, net als de andere twee piloten. Soldaten die ter beschikking zijn gesteld door de legers die momenteel een hopeloze oorlog voeren met de Demonata. Shark heeft een paar bevelhebbers op de hoogte gebracht van ons plan. Ze hebben het bevel over hun troepen aan hem overgedragen en zullen al het mogelijke doen om te helpen.

De helikopters stijgen vloeiend op, alsof de grond

onder ons wegzakt. Ik heb nog nooit in een helikopter gevlogen. Het is een apart gevoel. Niet zo'n kick als met Beranabus door het luchtruim zweven, maar veel leuker dan een vliegtuig.

'Ik had nooit gedacht dat ik dit nog eens zou doen,' brult Shark boven het geluid van de wervelende wieken uit. Hij glimlacht. 'Hoe vaak krijg je helemaal de kans om een oorlog te beëindigen? In films gebeurt het aan de lopende band, maar in het echte leven wordt een oorlog aan een aantal fronten tegelijk beslecht. Je kunt wel een belangrijk aandeel leveren, maar je rol bij de overwinning blijft beperkt. Om echt de opdracht te krijgen je in de strijd te storten en de wereld te redden...' Hij slaakt een vreugdekreet.

'Ik ben blij dat je het naar je zin hebt,' reageert Kernel sarcastisch.

'Reken maar van yes!' schreeuwt hij. 'Dat mag ook wel. We gaan er hoe dan ook allemaal aan.'

Ik kijk weg van de oorlogsbeluste Shark. Hij heeft waarschijnlijk de juiste instelling voor een gevecht als dit, maar ik vind zijn geestdrift smakeloos en storend. Dit is geen spelletje. Dit is geen wedstrijd om een beker. Als we verliezen, slepen we de hele mensheid met ons mee. Ik kan er niet bij dat iemand die met een dergelijke verantwoordelijkheid wordt opgezadeld zich niet diepellendig voelt.

Ik kijk omlaag, waar de wereld voorbijschiet en Carcery Vale dichterbij komt. We bevinden ons nu diep in Demonata-grondgebied. Dit was ooit mijn thuis. Nu niet meer. Nu is het van hen. Achtergelaten auto's. Brandende gebouwen. Bloedplassen op de weg en de velden. Overal afgeslachte dieren en men-

sen, sommige in stukken gehakt en in het rond ge-
strooid, andere door de demonen in weerzinwekkende patronen gerangschikt, gewoon voor de lol of om
indringers af te schrikken.

Ik zie een stel monsters die met de lichamen op de
grond aan het rotzooien zijn. Ik wil niet zien of de
slachtoffers nog leven of al dood zijn. Ik kijk de andere kant uit en hoop voor hen dat het hun lijken
zijn.

Ik zie nog meer monsters, in de bomen of op scha-
duwplekken, beschutting zoekend tegen de zon. Hoewel de sterkere demonen zich op klaarlichte dag kunnen vertonen, houden ze niet van het zonlicht.
Bovendien zijn ze overdag zwakker dan 's nachts. Als
we een paar uur later waren geweest, zou het hier we-
melen van de monsters.

De rand van Carcery Vale. Meer tekenen van de
aanwezigheid van demonen. De meeste gebouwen
zijn met de grond gelijkgemaakt. Overal lijken. We
vliegen over mijn oude school waar tientallen kinderen en leraren op de spijlen zijn gespiest, grijs en rood,
bedekt met vliegen die zich aan hen te goed doen,
langzaam wegrottend.

Voor het eerst denk ik aan mijn vrienden. Tot nu
toe had ik alleen aandacht voor Derwisj en Bill-E.
Maar de anderen zijn ook in de klauwen gevallen van
de Demonata. Frank, Mary, Leon, Shannon... *Reni*.
Met een ruk wend ik mijn blik af van de lichamen,
bang een bekend gezicht te zien. De tranen wellen op,
maar ik dring ze terug. Ik kan nu niet aan mijn vrienden denken, zelfs niet aan mijn oom en mijn broer.
De beste, de enige manier om ze te wreken is om me

op de demonen en de strijd te concentreren. Geen ruimte voor medelijden, twijfel of angst. Ik moet me niet voorstellen hoe ze hebben geleden, de pijn die ze hebben moeten doorstaan. Ik moet me niet afvragen of er iemand is ontkomen. De demonen. De grot. Sterven. Dáár moet ik me op concentreren.

Het luchtruim boven Carcery Vale is vergeven van de vliegtuigen en helikopters. Shark heeft de reguliere troepen voor ons uit gestuurd. Ze hebben de afgelopen twintig minuten een bommentapijt gelegd, waarbij ze vooral op de demonen bij de ingang van de grot hebben gemikt, om ze te ontwrichten en de lichamen van de minder machtige demonen op te blazen. Het effect is tijdelijk. Als de bombardementen eenmaal voorbij zijn, zullen de demonen hun lichamen gewoon weer in elkaar zetten. Maar het kleinste beetje winst is al meegenomen.

We zijn bij de grot. Ik herken het er niet meer. Hier, achter het huis, was een bos, dat zich tot aan Carcery Val uitstrekte en kilometers de andere kant uit. Nu is het platgebombardeerd. Niets dan as en verkoolde boomstronken. Een doodse woestenij. Eén groot litteken. Het ziet eruit als het oppervlak van een asteroïde. Niet van deze wereld. Iets uit de ruimte of een nachtmerrie.

We vliegen over de puinhopen van een groot gebouw. Pas na een paar seconden dringt het tot me door. Die ruïne was ons huis! Van het prachtige pand met zijn twee verdiepingen rest alleen nog een stakerig geraamte. Ik ben bijna blij dat Derwisj het niet hoeft te zien. Hij was verknocht aan dat huis. Als hij het in deze treurige staat had gezien, waren hem de tranen in de ogen gesprongen.

De piloot onderhoudt voortdurend contact met de andere toestellen, hij blaft orders en coördinaten, en manoeuvreert zorgvuldig tussen de luchtvloot door. Als hij al bang is, weet hij het goed te verbergen. Ik wilde dat het vechten werd overgelaten aan profs als hij. Maar ik ben bang dat gewone mensen altijd in de gevechten worden meegezogen. Dat hoort nu eenmaal bij een oorlog.

'Het is net de hel, vinden jullie niet?' merkt Shark opgewekt op en hij streelt de lange, glimmende loop van het machinegeweer dat om zijn nek hangt.

'Laten we hopen dat het de hel voor de demonen is wanneer we klaar zijn,' zegt Sharmila.

De helikopter mindert vaart en blijft dan op één plek hangen. De piloot wacht totdat de twee andere helikopters ons hebben ingehaald. Ik tuur omlaag. De ingang van de grot is niet te zien. Overal slaan bommen in en de aarde, stenen, stukken vlees en botten vliegen in het rond. Ik zie de sterkere demonen onbekommerd rondlopen, door hun magie beschermd tegen de explosies. Ze vormen een grote kring, enkele demonen dik. Ik tuur naar het centrum van de kring en zie eindelijk de ingang van de grot. Gewoon een klein gat in de grond. Niet wat je zegt een bijzondere plek, een plek waar over de toekomst van de planeet wordt beslist.

De tweede helikopter komt naast ons hangen, en dan de derde. De Discipelen staan of hurken bij de open zijde en houden zich aan de lussen vast, klaar om te springen zodra ze de grond dicht genoeg zijn genaderd. De oude vrouw met de stok zit op de rand, met bungelende benen, en streelt de lemmeten die uit haar strijdknots steken.

Onze piloot kijkt vragend om naar Shark. De ex-soldaat aarzelt en werpt een ongebruikelijk verdrietige blik om zich heen. Hij slikt moeizaam en voor het eerst is er twijfel op zijn gezicht te lezen. Even denk ik dat hij zijn strijdlust kwijt is. Beranabus denkt hetzelfde en opent zijn mond om een bevel naar de piloot te schreeuwen. Dan steekt Shark zijn kin in de lucht, grijnst grimmig en knikt woest. De piloot praat razendsnel in zijn microfoon en deelt bevelen uit. De vliegtuigen verdwijnen. Helikopters vol grondtroepen verzamelen zich om ons heen. Ik zie de gezichten van de soldaten – vastberadenheid met daaronder de doodsangst, net als de gezichten van degenen naast me.

De bommenregen neemt af en stopt dan. Onder ons wervelen de stofwolken op, die ons tijdelijk het zicht op de hordes demonen ontnemen. Shark brult een bevel naar de piloot.

We duiken.

Spartanen

Nog voordat we de grond raken, vallen de demonen ons aan. Boosaardig krijsend storten ze zich op ons. Er komen er nog meer uit de grot zetten: allerlei walgelijke monsters met meerdere armen en benen, slagtanden ter grootte van zeisen, overal klauwen, gif spuwend, vuur uitbrakend – de hele santenkraam!

De soldaten hebben het het zwaarst te verduren. Ze stormen de helikopters uit en vangen de toestromende demonen op. Ze vuren het ene na het andere schot af, in de wetenschap dat de kogels de monsters slechts tijdelijk ophouden, dat ze kostbare seconden aan het winnen zijn voor de mensen in de drie middelste helikopters, dat ze hun leven geven om ons te helpen.

Wanneer het bloedbad begint, slaat Beranabus me hard op mijn rug. Nog voordat ik doorheb wat er gebeurt, ben ik de helikopter al uit en ren ik over de grond. Beranabus holt een stukje voor me uit, Kernel rechts van me, Sharmila en Shark aan weerszijden van ons. De andere tien Discipelen verspreiden zich. Iedereen concentreert zich op het beschermen van Beranabus, Kernel en mij. Zelfs Shark, die het liefst domweg op de demonen zou willen inhakken, blijft dichtbij en gaat alleen tot actie over als er direct gevaar dreigt.

Enkele seconden lang glijden we tussen de rijen Demonata door alsof ze er niet zijn. Een paar proberen ons tegen te houden, maar de Discipelen, die geen ander doel voor ogen hebben dan het vrijmaken van een pad naar de grot, rekenen zonder hun pas te vertragen met hen af door ze met grote kracht uit de weg te blazen. De demonen hebben hun zinnen gezet op de soldaten – een makkelijke prooi voor magische monsters – en ze zijn verrukt dat er opeens zo veel slachtoffers tegelijk opduiken.

Dan verschijnt er een bekende demonenmeester in de lucht boven de ingang van de grot. Mijn handen ballen zich tot vuisten, mijn nagels dringen in mijn handpalmen, en de hoop die zich in me had gevormd verdwijnt als sneeuw voor de zon.

Het is Lord Loss, de Grootmeester van het Kwaad.

'Demonata!' roept mijn oude vijand en het woord snijdt door mijn schedel en die van iedereen en alles om me heen. 'Kijk uit voor de Discipelen! Versper hun de weg of we zullen naar ons eigen universum worden teruggestuurd!'

In een fractie van een seconde verandert het gevecht. De demonen maken zich los van de soldaten en richten hun aandacht op ons kleine clubje. Het is niet te zeggen hoeveel het er zijn... honderden. Alsof ze als één wezen ademhalen, laten ze tegelijk een dreigend gegrom horen en komen dan op ons af.

Misselijkmakend snel worden we overspoeld door een golf demonen. Het ene moment zijn ze nog meters van ons verwijderd. Het volgende storten ze zich op ons. Klauwen die flitsen, kaken die dichtklappen, minstens tien demonen per persoon. Drie van ons

sneuvelen onmiddellijk, ze worden tegen de vlakte gesmeten en in stukken gescheurd. De rest is gestrand,
omsingeld, overgeleverd aan een gevecht van demon
tot mens.

Shark verdwijnt onder drie bultige monsters, komt
enkele seconden later weer tevoorschijn en gooit ze
manisch lachend met een bol magische energie van
zich af.

Sharmila staat fanatiek bezweringen te prevelen en
laat de demonen om haar heen in vlammen opgaan
door ze licht aan te raken.

De vrouw met de wandelstok gebruikt haar stok
als een geweer, ze schiet er magische kogels mee af
op de demonen, en verbrijzelt de hoofden van andere demonen met haar strijdknots.

Beranabus negeert de slachtpartij. Hij is alleen
maar geïnteresseerd in het zo snel mogelijk bereiken
van de grot. Kernel rent vlak achter hem. Ik ook, hijgend. Ik ren op de automatische piloot, ik spring over
worstelende demonen, Discipelen en soldaten heen.
Ik wil vluchten. De lafaard in me jammert en smeekt
me om me terug te trekken. Maar ik denk aan Derwisj en Bill-E en klamp me vast aan de overtuiging
dat ze nog leven, dat ik hen kan redden. Dat geeft me
de kracht het gejammer van de lafbek in me te negeren en achter Beranabus en Kernel aan te gaan.

Voor Beranabus doemt een demon in de gedaante
van een konijn op. Ik herken hem van de slachting in
het vliegtuig. Het is Femur, een van Lord Loss' trawanten. Hij spuugt zuur in het gezicht van Beranabus. Maar de tovenaar is erop voorbereid en kaatst
het zuur terug naar Femur. Het doorweekt de demon

en vreet zich een weg door zijn vacht en huid heen. Femur krijst en rolt weg, wanhopig met zijn kleine pootjes spartelend in een poging de bijtende vloeistof van zijn wangen en ogen te vegen voordat het zijn kop tot op het bot heeft verteerd.

Arterie het hellekind verschijnt, grijpt Beranabus met de muilen in zijn handen bij zijn linkerbeen en bijt hard. Beranabus gromt en schopt Arterie als een voetbal van zich af, over de hoofden van een aantal demonen heen.

Beranabus strompelt voort. De ingang van de grot is in zicht. Lord Loss ook. Hij zweeft nog steeds boven de ingang in de lucht, zijn acht armen gespreid, treurig glimlachend.

Een demon met de kop van een tijger grijpt me bij mijn middel beet en draait me met een ruk om. Zijn slagtanden happen naar mijn keel. In een reflex stuurt de magie in me een golf elektriciteit door het monster heen. Het wordt zwart en zakt dan in elkaar, met sissende synapsen, en ogen die in hun kassen smelten.

'Mooi werk!' roept Shark, die naast me opduikt. Hij bloedt uit verschillende wonden en een van zijn oren is afgebeten. 'Ik kwam een handje helpen, maar ik geloof niet dat je me nodig hebt.'

'Beranabus!' schreeuw ik naar hem. 'Je moet Ber—'

Voordat ik mijn zin kan afmaken, is Shark verdwenen, weggerukt door een stel demonen die als mieren over hem uitzwermen. Ik zie een hand... Zijn tanden wanneer hij bijt... Ik hoor een lach... Dan ligt hij op de grond, volledig bedekt, en zie ik niets meer van hem.

Verbijsterd doe ik een stap weg van de plek waar Shark is gevallen en kijk verdwaasd om me heen, op zoek naar Beranabus. Hij is blijven staan. Tussen hem en de grot staat een tiental demonen. Hij vuurt magische bliksemflitsen op hen af, maar ze incasseren de klappen zonder een krimp te geven en openen het vuur op hem. We kunnen niet om hen heen. Weldra zullen ze hem hebben uitgeput en hem uitschakelen.

Kernel voegt zich aan zijn meesters zijde en begint mee te vechten. Maar op het moment dat hij een paar van zijn eigen rozeachtige bliksemflitsen afvuurt, springt Spine, de schorpioendemon van het vliegtuig, op zijn kale bruine hoofd en mikt met zijn angel op Kernels rechteroog. Met een ploppend geluid gaat de angel het oog in en komt er vochtig en glinsterend weer uit. Krijsend van genot spuugt de demon een mondvol eitjes in de brijachtige oogkas.

Kernel schreeuwt het uit wanneer de eitjes uitkomen en de larven zich te goed doen aan de overblijfselen van zijn oog, om zich vervolgens een weg te banen naar zijn hersenen. Kernel heeft alle gevoel voor richting verloren en tollend doet hij een paar passen bij Beranabus vandaan. Spine slaat nog een keer toe en Kernels linkeroog plopt.

Ik word door iets hards in mijn onderrug geraakt en sla tegen de grond. Klauwen dringen zich in mijn vlees. Een moment lang ben ik verbijsterd en niet in staat mijn magie te gebruiken. Ik voel mijn eind naderen en een groot deel van me verwelkomt het – ik heb er alles voor over om uit deze waanzin te geraken. Maar dan wordt de demon door een magische klap van me af geslagen. Ik kom overeind, versuft, en verwacht Sharmila of de vrouw met de wandelstok te zien. Maar ze zijn nergens te bekennen. Ik zie alleen maar demonen en Beranabus die zich wanhopig tegen hen verzet, hopeloos. Maar wie heeft dan...?

'Iedereen blijft van de jongen af!' brult Lord Loss, en ik realiseer me dat ik door de demonenmeester ben gered. Onze ogen kruisen elkaar en zijn glimlach wordt breder. 'Ik hou je voor mezelf, Grubitsch. In het vliegtuig ben je ontkomen, maar je zult er niet nog eens tussenuit knijpen.'

De gevechten wijken. De demonen houden afstand en gaan een andere kant uit om de Discipelen en de laatste paar soldaten af te maken. Het pad naar de grot is vrij, maar het is ook het pad naar Lord Loss. Een seconde lang staar ik de demonenmeester aan, die in de lucht hangt en wacht. Ik wil wegrennen. Het heeft geen zin om door te gaan. Lord Loss zal me doden nog voordat ik in de buurt van de grot ben. De enige wijze optie is ervandoor gaan en –

'Nee!' schreeuw ik. Ik wil geen lafaard meer zijn. Ik zal met alle anderen sterven als dat mijn noodlot is, een langzame en afschuwelijke dood tegemoet gaan in de handen van Lord Loss, als dat de prijs van falen is. Maar ik ga er niet vandoor. Ik heb er genoeg van om steeds te vluchten. Het is tijd om te vechten.

Ik sprint naar voren, raap alle energie die ik nog heb bij elkaar, spreek de magie in me razendsnel toe, dat ik weet dat ik haar in het verleden heb laten zakken en weggedrongen, maar dat ik beloof haar nu de vrije teugel te geven. We zitten nu samen in dit schuitje en ik stop niet voordat ik dood ben of we hebben gewonnen. Wil ze me helpen?

De magie schreeuwt haar antwoord terug – *Ja, zeker weten!* – en ik voel de energie in het kuiltje van mijn maag groeien, meer energie dan ik ooit ergens op heb losgelaten. Ik weet niet of ik opgewassen ben tegen Lord Loss en zijn makkers, maar op dit moment heb ik het gevoel dat ik niet te verslaan ben, dat ik hier de sterkste ben.

'Beranabus!' schreeuw ik. Ik ben bijna bij het gat en durf nu om te kijken. Hij is omringd door demonen. Vloekend hef ik mijn hand en laat de magie los. Witte vlammen schieten uit mijn vingertoppen. Ze raken de demonen vol en het vuur flitst door hen heen als bliksemschichten. De demonen krijsen en vluchten alle kanten uit, bedekt met vlammen die ze niet kunnen doven. Sommige van hen vallen in brokstukken uiteen en zijn onmiddellijk dood.

'Duivels!' gromt Beranabus, terwijl hij naar me toe hinkt en zich bukt om de krijsende en stuiptrekkende Kernel op te tillen en hem mee te slepen. 'Ik wist dat je sterk was, maar niet zó sterk!'

'Jazeker,' zegt Lord Loss boven onze hoofden. 'Grubitsch is een hoogst opmerkelijke jongeman. Daarom ben ik die eerste keer in de grot niet de strijd met hem aangegaan, ook al had ik hem toen kunnen doden. Op zo'n plek vol magie wilde ik hem liever niet alleen het hoofd moeten bieden.'

'Je was bang!' brul ik, terwijl ik Lord Loss spottend aankijk. We zijn bij de ingang van de grot aangekomen en ik voel me onoverwinnelijk. Voor het eerst geloof ik dat het ons gaat lukken. We kunnen ze verslaan!

'Bang?' mompelt Lord Loss. 'Wat een naar woord,

Grubitsch. En niet geheel accuraat. Ik was niet bang om het gevecht met je aan te gaan. Ik gaf er gewoon de voorkeur aan om te wachten totdat de kaarten in mijn voordeel waren geschud. Waarom zou je tenslotte in je eentje vechten als je kunt wachten op...?' Hij grijnst kwaadaardig en maakt een gebaar naar de ingang van de grot.

Ik kijk omlaag en mijn gevoel van triomf dooft sissend als een lucifer die in een emmer water wordt gegooid.

De tunnel die naar de grot leidt is gevuld met demonen. En dan bedoel ik ook echt vol. Er zijn daar beneden meer monsters dan hierboven. Duizenden kwaadaardige ogen staren me glinsterend aan. Een heel leger kaken opent zich en ik zie rijen vlijmscherpe tanden. En in de klauwen van de beesten die het dichtst bij me staan – het afgehakte, levenloze, met bloed besmeurde hoofd van Derwisj! Een andere demon houdt het afgehakte hoofd van Reni Gossel in zijn handen. Frank Martin. Charlie Rall. Meera Flame. Alle mensen om wie ik gaf. Bill-E is de enige die ontbreekt – of misschien is hij er wel, maar kan ik hem vanaf hier niet zien.

'Ik heb je familie en vrienden tot prioriteit nummer één verheven,' zegt Lord Loss trots, terwijl mijn wereld in brand staat en de waanzin over me neerdaalt. 'Ik heb je gezegd dat ik je zou straffen voor je beledigingen. Een vreselijke, nietsontziende straf. Dit is mijn antwoord als er met mijn gespot wordt, Grubitsch. Zie mijn werk en leer de ware, harteloze wraak van Lord Loss kennen.'

'Grubbs!' roept Beranabus. 'Ze doen er niet toe! Negeer het! We...'

'Stoor de jongen niet,' onderbreekt Lord Loss hem droefgeestig. 'Dit is een moment van waarachtige rouw, geen valse beloften en betekenisloos heldhaftig vertoon. Kijk omlaag, Beranabus. Zelfs een eeuwige dromer als jij kan nu niet meer in hoop geloven. Het is voorbij. De oorlog is beslist. De mensheid is gevallen.'

'Grubbs! We kunnen nog steeds...'

De rest van Beranabus' woorden ontgaan me. Lord Loss heeft gelijk. We zijn verloren. Er is geen weg hier doorheen. Iedereen die ik kende – dood. Iedereen die ik ken die nog niet ten prooi is gevallen aan de Demonata – binnenkort dood. En alle anderen, de miljarden mannen, vrouwen en kinderen verspreid over de hele wereld, die ik nooit zou hebben leren kennen, ook al had ik duizend keer geleefd – zij zullen ook allemaal sterven.

Ik zink op mijn knieën neer, overweldigd door de immensiteit van het moment. Beranabus grijpt mijn rechterschouder beet met zijn ene hand – met zijn andere hand houdt hij nog steeds de jammerende, spartelende Kernel vast – en probeert me overeind te trekken. Maar ik blijf zitten waar ik zit. De tranen stromen over mijn wangen, het afgrijzen verteert me, en ik hoop dat Lord Loss de marteling niet al te lang laat duren. Ik bid dat hij genade toont en me snel doodt.

Ik schommel kreunend heen en weer, gluur om me heen, en zie de demonen in een overwinningsroes komen, de lijken van soldaten en Discipelen aan elkaar doorgeven als hapjes op een feestje. Het gehuil, gegrom en gekwetter lijkt samen te smelten tot een muziekstuk of de zangerige melodie van een lange, ingewikkelde bezwering. Dan dringt het tot me door: het geluid is niet van de demonen afkomstig. Het komt ergens anders vandaan... van de rotsen onder me.

Ik kijk omlaag en verwacht een nieuwe kwelling te zien die aan het brein van Lord Loss is ontsproten. In plaats daarvan zie ik het gezicht van het meisje, het gezicht van Bec dat uit de rotsbodem stulpt, de ogen geopend, de lippen snel bewegend. Beranabus ziet het ook. Zijn greep op mijn schouder verslapt en hij staart naar het gezicht, sprakeloos. De demonen en onze dwaze queeste zijn vergeten.

'Kijk nou toch eens,'zegt Lord Loss en hij fronst. 'Onze kleine Bec, in levende lijve na al die eeuwen? Onmogelijk. Hij kan haar ziel...?' Hij glimlacht. 'Het doet er ook niet toe. Ze is machtig, Beranabus, machtiger nog dan jij of Grubitsch. Maar ze kan jullie niet redden. Gevangen als ze zit in de rotsen, kan ze alleen maar treuren om jullie ongelukkige heengaan.'

Het meisje spreekt sneller dan ooit, haar lippen zijn nauwelijks nog te onderscheiden. Ik voel de magie in me op het ritme van haar woorden bonzen. Ik begrijp de woorden niet, maar de magie wel en opgewonden wervelt ze in me heen en weer, in een poging naar het meisje uit te reiken. Aangezien ik niets te verliezen heb, laat ik de magie haar gang gaan. Ik doe in gedachten een stap achteruit en laat de magie en het meisje vrijuit met elkaar communiceren. Terwijl de twee op een onverklaarbare manier contact met elkaar maken, voel ik mijn eigen lippen bewegen. De woorden van het meisje worden de mijne, net als toen ik haar eerdere woordenvloed aan Beranabus in zijn grot doorgaf.

'Kom,' zegt Lord Loss. Hij daalt sierlijk neer en geeft de demonen om ons heen een teken. 'Dit kinderachtige gedoe heeft nu lang genoeg geduurd. Geef je over, Grubitsch, dan zal ik je niet te hard aanpakken. Nou ja... minder hard dan ik van plan was.'

'We geven ons nooit over!' buldert Beranabus, die weer tot leven komt. Hij laat Kernel en mijn schouder los en heft zijn handen om de strijd met de demonenmeester aan te gaan.

'Grijp hem,' zegt Lord Loss en hij gaapt spottend. De dichtstbijzijnde demonen heffen een gehuil aan en werpen zich op de tovenaar, maar botsen dan tegen een onzichtbare muur en stuiteren terug.

'Indrukwekkend,' mompelt Lord Loss. 'Maar hoe lang denk je die barrière te kunnen volhouden, oude man?'

'Dat is niet mijn werk,' zegt Beranabus en hij kijkt me onzeker aan. De handen van het meisje zijn nu ook verschenen en ze steken stijf uit de grond, grijs en rotsachtig. Ik pak ze beet. Mijn vingers zijn groot en grof in vergelijking met de hare. We blijven prevelen, zij, ik en de magie.

Kernel krijst wanneer de larven zich dieper ingraven in zijn hersenen. Hij springt wild opzij en de demonen steken gretig hun klauwen naar hem uit, maar hij dreunt tegen de barrière aan, wordt tegen de grond gesmeten en komt vlak bij mijn voeten neer. Beranabus bukt zich en steekt zijn vingers in het voorhoofd van de jongen. Magie laait op. De larven tuimelen uit Kernels bloederige oogkassen en verschrompelen, ze zijn dood voordat ze de grond hebben bereikt. Kernel kreunt en zakt bewusteloos in elkaar.

Beranabus kijkt me aan en zijn gezicht straalt van hernieuwde hoop. 'Vooruit!' Hij grijpt me bij mijn elleboog. 'Als jullie die barrière in stand houden, kunnen ze ons de weg naar de grot niet meer versperren. We...'

Met een ruk wordt mijn hoofd in zijn richting gedraaid en het meisje blaft iets, met mijn lippen. Ik weet niet wat ze zegt, maar het leidt tot een wanhopige kreun van Beranabus.

'Nee! Daar kun je nu niet mee aankomen. Niet nu. Niet na dit alles. Niet nu we er zo dichtbij zijn.'

Ik heb geen tijd om over zijn woorden na te denken. Ik kijk weer naar het meisje en mijn ogen fixeren zich op haar vreemde stenen pupillen. We spreken sneller, luider. Om ons heen bouwt zich een vurige magische energie op, die alle haartjes op mijn lichaam overeind doet staan en vervolgens tot op de wortel wegschroeit. Mijn kleren branden ook weg. Net als die van Beranabus en Kernel. Binnen enkele seconden zijn we naakt en onbehaard, en nog steeds bouwt de energie zich op.

Lord Loss ruikt gevaar. 'Grijp ze!' brult hij. 'Vernietig die barrière. Dood ze allemaal!'

De demonen haasten zich om te gehoorzamen, maar hun pogingen halen niets uit. De barrière weerstaat hun aanvallen moeiteloos. Hoe harder ze zichzelf ertegenaan werpen, hoe harder ze terugstuiteren. De magie die ze erop afvuren komt twee keer zo hard terug en doet de demonen uiteenspatten. Ze proberen de barrière met hun klauwen open te rijten, met hun slagtanden aan stukken te bijten, te ondergraven om van onderaf aan te vallen – tevergeefs.

De energie is ondraaglijk. Dit heeft niets meer met normale hitte te maken. Zo heet moet het in het hart van de zon zijn, denk ik. De rotsbodem rond het gezicht van het meisje is gesmolten, maar zelf is ze er nog en naarmate het gesteente wijkt, wordt een groter deel van haar zichtbaar.

Paniekerige kreten. Met moeite til ik mijn hoofd op. De demonen kijken naar de hemel, ontzet en verbijsterd. Wanneer ik hun blik volg, zie ik iets onbegrijpelijks. De hemel *golft*! Het is alsof ik naar de onderkant van een trampoline kijk terwijl er iemand op staat te springen. In het midden heeft zich een trechter gevormd, alsof het universum naar één punt wordt gezogen. Terwijl ik kijk beweegt hij omlaag, en dan omhoog… omlaag, omhoog… omlaag, omhoog. En misschien verbeeld ik het me, maar het lijkt alsof de punt van de trechter pal boven Kernel, Beranabus, het spookmeisje Bec en mij hangt.

Lichtflitsen schieten door de vervormde hemel. Wolken vatten vlam. Het uiteinde van de trechter komt steeds lager te hangen, komt steeds dichter naar ons toe. De demonen vluchten krijsend en jammerend alle kanten uit. In hun eigen universum gebeuren dit soort dingen elke dag. Daar maken ze zich niet druk om magische chaos. Maar in dit ordelijke, wetmatige universum verwachtten ze het niet. Ze weten niet wat het te betekenen heeft en hoe ze moeten reageren.

'Dat zal jullie niet redden!' schreeuwt de Grootmeester van het Kwaad zonder veel overtuiging. 'Hier blijven, uitschot!' buldert hij tegen de vluchtende demonen. 'Vechten! We kunnen door hun barrière heen breken en ze doden. Jullie moeten niet...'

Ik sluit me voor hem af. Er is een korte pauze in de bezwering en even zijn mijn lippen weer van mij. 'Wat gebeurt er?' vraag ik hijgend en ik kijk Beranabus aan. Hij schudt slechts zijn hoofd en staart Bec en mij sprakeloos aan. Dan begint de bezwering weer en kan ik geen vragen meer stellen. Mijn lippen zijn die van Bec. Mijn magie en haar magie zijn één. Mijn bewustzijn versmelt met het hare. Ik zie flitsen van haar leven: een eenvoudige agrarische gemeenschap, demonen, een zoektocht, krijgers, een tovenaar... de tunnel tussen twee werelden sluiten, zichzelf opofferen, vastzitten in een grot, haar ziel die zich op de een of andere manier van haar lichaam losmaakt, sterven maar niet heengaan... gevangen, geen uitweg, eeuwenlang rondwarend, niet kunnen ontsnappen uit de rotsachtige beslotenheid van de grot.

Dan bevind ik me in het hoofd van iemand anders. Ik zie een klein, modern dorpje, ontelbare lichtvlekken in de lucht om me heen, een baby die er vreemd bekend uitziet, een jonge punker die... Nee, dat is Derwisj toch niet? Jawel, het is hem wel, een jonge Derwisj Grady met een hanenkam, zij aan zij vechtend met Shark, Sharmila, Beranabus, een donkere man en...

Kernel komt kreunend overeind. Hij schudt versuft zijn hoofd. Zijn lege oogkassen draaien naar links en rechts alsof hij iets zoekt. Nietsziend richten ze zich op Bec en mij. Trillend en kreunend van de pijn strekt hij zijn armen en legt zijn handen op de mijne. In een flits schiet mijn magie naar zijn handen, maakt contact met de magie van de blinde jongen en zwelt dan aan, sterker dan ooit. Zijn lippen bewegen samen met die van Bec en mij, zijn magie één met die van ons.

Ons stemmen worden luider. De hemel wordt zwart, rood, wit. Rotsblokken worden uit de bodem gerukt en schieten brandend omhoog, veranderen in vogels, koeien, auto's, mensen en dan weer in rots. Nu verheft alles zich in de lucht, de overblijfselen van bomen en gebouwen, lijken en demonen. De zwaartekracht verliest haar greep. Lord Loss probeert zich vast te grijpen aan de onzichtbare barrière om ons heen, maar wordt weggerukt, de lucht in. Terwijl hij omhoog schiet, slingert hij ons verwensingen naar het hoofd.

De wereld valt uiteen. Vernietiging alom. Ik ben nu bang, banger nog dan toen ik dacht dat de demonen ons te pakken hadden. Bec moet knettergek zijn. Tot waanzin gedreven door de zestienhonderd jaar gevangenschap. Ze wil alleen maar verderf zaaien, iedereen laten lijden zoals zij geleden heeft, de wereld naar de verdoemenis helpen. En ze is ertoe in staat. Met mijn magie en die van Kernel is ze sterk genoeg om op een afschuwelijke, misplaatste manier wraak te nemen.

Ik wil stoppen. Ik concentreer me en probeer het contact te verbreken, mijn lippen stil te houden, te maken dat ik hier weg kom voordat het te laat is. Maar de magie heeft me stevig beet. Geen ontsnappen mogelijk. Alles om me heen schiet omhoog, terwijl de hemel zelf steeds verder zakt, het uiteinde van de trechter lager... en lager... en lager...

Beranabus is nu ook bang. Hij was uitgelaten toen hij zag hoe de demonen aan de kant werden geveegd, maar het is in ijltempo uit de klauwen gelopen. Hij ziet wat ik zie: het daadwerkelijke eind van de wereld. Hij is op de grond neergezakt – het enig overgebleven stukje grond bevindt zich onder onze energiebel – en staart ons drieën met open mond en opengesperde ogen aan, twee poelen van verwarring en angst. Misschien overweegt Beranabus een van ons te doden, maar ik denk niet dat hij daartoe in staat is. Hij is niet sterk genoeg.

De punt van de trechter heeft ons bijna bereikt. Ik zet mezelf schrap voor een laatste poging, een laatste ruk om het onnatuurlijke, destructieve verbond tussen Bec, Kernel en mij te verbreken. Maar voordat ik iets heb kunnen doen, heeft het uiteinde van de trechter – blauw, zoals de hemel er altijd heeft uitgezien – de muren van de onzichtbare grens bereikt.

Een lichtflits in alle kleuren van de regenboog. Mijn lichaam ontploft, of zo lijkt het. Ik heb het gevoel tegelijkertijd overal en nergens te zijn, zowel een volledig universum als een onbeduidend stipje. De tunnel zuigt me naar binnen. Ontelbare vlakken van pulserend licht. Ik vlieg van het ene naar het andere lichtvlak. Ik stuiter zo snel in de rondte dat ik een vacuüm creëer en het uiteinde van de trechter naar binnen wordt gezogen en in mijn kielzog omhoog komt. Ik ben me er vaag van bewust dat mijn magie de krachten heeft gebundeld met die van Kernel en Bec.

Het stuiteren stopt, maar we gaan sneller dan ooit. Enkele paarse lichtvlakken flikkeren op, klonteren dan samen en worden een klein venster. We schieten erdoorheen. Gele lichten flikkeren op en voegen zich samen; we vliegen erdoorheen. Een hele reeks opflikkerende lichten en vensters, het een na het ander, steeds sneller. Nieuwsgierig richt ik mijn aandacht op de magie en ik realiseer me dat Kernel degene is die de vensters creëert en ons erdoorheen manoeuvreert. Ik heb geen idee hoe of waarom. Ik denk dat Kernel ook geen idee heeft.

Geen besef van tijd of ruimte. Gewoon het ene na het andere venster, gekleurde vlekken die gonzend op ons af vliegen en vervagen, terwijl op de achtergrond een angstaanjagend geluid aanzwelt. Dan verdwijnen de lichten. Ik zie niets meer. Totale duisternis. Net zo blind als Kernel.

Het geluid blijft aanzwellen en is nu zo sterk dat het een heel continent zou kunnen verbrijzelen. Mijn trommelvliezen knappen. Mijn schedel barst. Mijn hersenen een borrelende brij die in het niets opgaat. Maar dat maakt niet uit. Ik besta nog steeds. Ik hoor, denk en voel nog steeds. Het geluid verplettert mijn ziel. Onbeschrijfelijke pijn. Onmogelijk om te schreeuwen of de druk te verminderen. Een universum van doodsangst.

Opeens stopt het geluid. Ik kom tot rust. De pijn verdwijnt. Een heerlijke, troostende stilte. Die wordt doorbroken door de verrukte lach van een meisje.

Een tweede kans

In eerste instantie denk ik dat de wereld en het universum volledig zijn verwoest en dat ik me het gelach gewoon verbeeld. Maar dan wordt de duisternis om me heen iets lichter. Ik realiseer me dat ik weer ogen heb. Knipperend kijk ik om me heen, maar ik kan niet veel zien. Het is nacht en ik bevind me tussen de bomen. Het is niet echt donker – tussen de takken door vang ik een glimp op van de volle maan – maar ik heb moeite om mijn ogen te focussen. De gedachten tollen als gekken door mijn verbijsterde hoofd.

'Wat is er gebeurd?' vraagt Beranabus met krakende stem, terwijl hij een eindje verderop overeind krabbelt. Kernel ligt aan de voeten van de tovenaar, kreunend en met zijn armen rond zijn hoofd geslagen. 'Waar zijn we?'

'Ik weet het niet,' fluister ik. Mijn oren zijn ergens naar op zoek. Ik weet niet naar wat, maar na een paar seconden dringt het tot me door – de stem van het meisje is verdwenen.

Kernel mompelt iets en schiet dan schreeuwend overeind. 'Mijn ogen!' jammert hij. 'De maden! Mijn ogen! Ik kan niet meer –'

De tovenaar legt een hand over de mond van zijn assistent en fluistert enkele magische woorden, een bezwering om de pijn te verzachten. Kernel slaat wild om zich heen, vindt dan zijn zelfbeheersing terug en stopt zijn verzet, maar zijn borstkas blijft in een razend tempo op en neer gaan.

Beranabus haalt zijn hand weg. 'Gaat het een beetje?'

'Mijn ogen...?' kreunt Kernel.

'Verdwenen,' zegt Beranabus zonder er doekjes om te winden.

'Maar... we moeten... er moet een manier zijn om...'

'Nee. Ze zijn geruïneerd. Maar maak je geen zorgen. De magie zal het verlies compenseren. Je zult niet volslagen hulpeloos zijn.' Beranabus kneedt Kernels nek. 'Misschien kunnen we zelfs een paar vervangende ogen in elkaar knutselen wanneer we naar het demonenuniversum terugkeren. Als de goden werkelijk met ons zijn, zul je nog wel de lichtvlekken zien en vensters kunnen creëren.'

'Alsof dat me ene reet kan schelen!' snauwt Kernel bitter, maar Beranabus negeert zijn vijandigheid.

'Een paar minuten stilte, graag,' zegt de tovenaar. 'Ik moet erachter zien te komen waar we zijn.'

Met gesloten ogen en zachte ademhaling draait hij traag om zijn as in een poging onze positie te bepalen. Ik weet dat ik stil moet zijn en moet wachten totdat hij klaar is, maar ik hou het niet meer. 'Wat heeft ze met ons uitgehaald? De grond die openbrak en de lucht in ging... de hemel en de trechter... de lichten en de vensters... het geluid en de pijn. Wat had dat allemaal te betekenen?'

'Hoe kan ik dat weten?' gromt Beranabus. 'Misschien wilde ze demonen vernietigen en is de bezwering uit de hand gelopen.'

'Maar de hemel! Hebt u het gezien? Hoe heeft ze dat gedaan? Wat...'

'Stil!' blaft Beranabus en hij opent één oog om me kwaad aan te gluren. 'Hoe kan ik me nu concentreren als jij me van de stomme vragen stelt?'

'Maar ze heeft de grond opengereten!' schreeuw ik. 'Ze heeft de zwaartekracht omgekeerd en de hemel omlaag laten storten. En toen heeft ze ons naar... Ja, waar heeft ze ons eigenlijk naartoe gestuurd? Is dit de aarde? Een demonenwereld? Zijn we dood?'

'Ik weet het niet,' zegt Beranabus zuchtend. 'Ik weet niet waar dit is of hoe ze ons hierheen heeft gestuurd. Telekinese, veronderstel ik, maar op deze manier heb ik het nog nooit zien doen. Ik weet wel waaróm ze het heeft gedaan.' Hij aarzelt, doet dan ook zijn andere oog open en kijkt me met een beschaamde grijns aan. 'Ik heb nog een fout gemaakt. Het zijn er de laatste tijd veel te veel geweest. Het offer in de grot is me ontgaan. Ik had het mis toen ik dacht dat Lord Loss de tunnel niet wilde heropenen. En nu weet ik dat mijn plan om de tunnel te sluiten niet had gewerkt.

'Ik vertelde de Discipelen dat de overwinning aan ons zou zijn als we de muren van de tunnel lieten instorten. De demonen zouden weer hun eigen universum in gezogen worden. Zo is het in het verleden gegaan. Ik ging ervan uit dat het ook nu zo zou gaan. Bec liet me weten dat dat niet het geval was.'

'Dus ook als ons plan was geslaagd waren we nog niet van de demonen af geweest, bedoelt u?' vraag ik, enigszins gekalmeerd.

'We zouden hebben voorkomen dat er nog meer waren overgestoken,' zegt hij. 'En de reeds aanwezige demonen zouden veel van hun kracht verliezen. Maar de wereld is veranderd. Er is minder magie in de atmosfeer. Mijn bezweringen zouden de demonen niet hebben verjaagd. De meesters zouden zijn gebleven en zelfs verzwakt zouden ze genoeg kracht hebben gehad om de mensheid te vermorzelen. Ik denk niet dat alle Demonata daarvan op de hoogte waren – zo gedroegen ze zich in ieder geval niet – maar Bec wist dat we ten dode opgeschreven waren. Om ons te redden sprak ze samen met Kernel en jou een bezwering uit om ons daar weg te krijgen, zodat we ons konden hergroeperen en een nieuwe poging wagen.'

'Wat heeft dat voor zin?' snik ik. 'Als we ze deze keer niet konden terugsturen, met de hulp van alle Discipelen... als het vernietigen van de tunnel geen effect heeft...'

'Er moet een manier zijn,' mompelt Beranabus. 'Daarom moet ik me concentreren. We hebben niet veel tijd. Bec heeft de demonen een koekje van hun eigen helse deeg gegeven, maar het is niet gezegd dat degenen die de lucht in zijn gezogen ook echt dood zijn. Maar ook dan is de tunnel nog open. Er kunnen er meer oversteken. We moeten terug en hun de weg versperren. Dus wees nu stil zodat ik me kan oriënteren. Daarna mag je me vragen wat je maar wilt.'

Hij sluit zijn ogen en draait weer langzaam rond, met al zijn zintuigen op scherp. Kernel heeft zichzelf weggesleept en is tegen een boom aan gaan zitten. Met trillende vingers onderzoekt hij zijn lege oogkassen en plukt er een paar dode larven uit die nog in de hoeken zaten. Ik kruip naar hem toe om te kijken hoe het met hem gaat, hem te helpen als ik dat kan, hem te troosten als hij dat toelaat.

Dan zie ik de rotsblokken.

Mijn ogen hebben zich ondertussen aangepast en het licht van de maan is sterk, zelfs onder de bomen. De rotsblokken kunnen me niet ontgaan. Ze liggen overal, maar een heel stel ligt in een grote berg opgestapeld. Ze kunnen niet echt zijn. Onmogelijk. Ze moeten aan mijn fantasie zijn ontsproten. Maar dat zijn ze niet. De magie in me zegt dat ze echt zijn. Zelfvoldaan. Zelfverzekerd. Triomfantelijk.

'Beranabus.'

'Grubbs!' schreeuwt hij kwaad. 'Ik heb je toch gezegd dat je je ...'

'Ik weet waar we zijn.'

Wantrouwend gaan zijn ogen een millimeter open. 'Waar?'

'Er is geen magie voor nodig. U hoeft alleen maar te kijken.' Ik wijs naar de rotsblokken.

Er verschijnen diepe rimpels in Beranabus' voorhoofd. Dan dringt het tot hem door dat hij de berg stenen eerder heeft gezien en zijn mond valt open. 'Nee,' brengt hij er krakend uit. 'Dat is onmogelijk. Dit is bedrog. Of een plek die als twee druppels water lijkt op...'

'Nee.' Ik loop ernaartoe, raap een van de kleinere stenen op en gooi hem in het gat aan de andere kant van de berg – de ingang tot een maar al te bekende grot. 'We zijn nergens heen gegaan. We zijn nog steeds in Carcery Vale.'

Beranabus beent om het gat heen, tuurt ernaar, bestudeert het vanaf alle kanten. Van tijd tot tijd blijft hij staan, mompelt iets in zichzelf, schuifelt naar het gat, en loopt dan weer verder.

Ik zit bij Kernel. Met bladeren en regenwater heb ik de ergste troep rond zijn ogen weggeveegd. 'Hoe voel je je?' vraag ik.

'Ik heb niet veel pijn,' antwoordt hij, 'maar dat komt nog wel. Onder dit soort omstandigheden kun je de pijn wel een tijdje uitstellen, maar niet oneindig. Wanneer de bezwering is uitgewerkt, zal ik naar het ziekenhuis moeten. Verondersteld dat er nog ziekenhuizen zijn...' Zijn hoofd beweegt naar links, en dan naar rechts. 'Is het dag of nacht?'

'Nacht.'

'Dat dacht ik al. Maar toen we werden aangevallen was het dag. Ik wist niet dat ik zo lang bewusteloos ben geweest.'

'Dat ben je ook niet.'

'Maar hoe...?' Zijn vraag blijft in de lucht hangen.

'We weten het niet,' vertel ik hem. 'Beranabus probeert erachter te komen.'

Kernel knikt langzaam. 'Hoe zie ik eruit?' vraagt hij.

Ik staar in de lege gaten waar ooit zijn ogen hebben gezeten. Ze zijn bezaaid met dode larven. Een paar zijn maar half zichtbaar, omdat hun koppen en bovenlijven zich hebben ingegraven in het donkere vlees en de botten van zijn oogkassen. 'Prima,' lieg ik.

Beranabus begint te lachen. Ik denk dat hij me uitlacht vanwege mijn leugen en draai me kwaad om.

Dan dringt tot me door dat hij mijn woorden niet eens heeft gehoord.

'Natuurlijk,' gniffelt hij. 'Dat is het enig mogelijke antwoord. Er is maar één manier waarop ze zo veel magie heeft kunnen bundelen, met zo'n effect. Bec en jij zijn de twee andere stukjes. Dat is het enige wat...'

Hij vervalt weer in een stilzwijgen. Ik zeg niets en wacht totdat hij het op een rijtje heeft en het mij in eenvoudige bewoordingen kan uitleggen. Ik laat mijn blik over hem glijden. Hij ziet er vreemd uit, zonder zijn baard en hoofdhaar, naakt als op de dag dat hij is geboren. Ik denk dat ik er zelf ook knap vreemd uitzie, zo kaal als een biljartbal. Op een ander moment zou ik me niet op mijn gemak hebben gevoeld, maar het afgelopen uur heeft alles zo'n waanzinnige wending genomen, dat mijn hyperhaarloze naaktheid me niet veel kan schelen.

Beranabus kijkt op en maakt met zijn hand een gebaar naar de bomen. De takken wijken uiteen, zodat hij onbelemmerd zicht heeft op de maan en de hemel eromheen. Zijn ogen flitsen van de maan naar de sterren. Terwijl hij in gedachten berekeningen maakt kan ik zijn hersens bijna op volle toeren horen draaien. Dan vallen de takken ritselend terug en hij lacht. 'Ik wist het!'

Met grote passen loopt Beranabus naar de plek waar Kernel en ik zitten te wachten. Stralend als een trotse vader wiens vrouw zojuist een kind heeft gebaard hurkt hij naast ons neer. 'De eerste magische wet luidt: alles is mogelijk. Het is het eerste wat ik mijn assistenten leer, maar als je dat zo lang hebt gedaan als ik, vergeet je makkelijk je eigen advies. Dat iets nooit eerder is klaargespeeld en dat de benodig-de magie veel groter is dan die van de machtigste de-monenmeester, wil nog niet zeggen dat het onmoge-lijk is. Bec moet zich hebben gerealiseerd wat ze eigenlijk was... ze heeft zich eeuwenlang voorbereid, geduldig gewacht...

'Of misschien zag ze pas tijdens het gevecht hoe ze het moest doen. Misschien was jij de katalysator, Grubbs. Of Kernel. Nee, hij niet, denk ik – hij kwam er toch als laatste bij? Het maakt eigenlijk ook niet uit. Misschien kan Bec het ons vertellen, veronder-steld dat ze...' Hij verzinkt weer in een stilzwijgen.

'Neem vooral de tijd, Beranabus,' mompel ik on-geduldig. 'We horen het wel als u zover bent.'

Hij grijnst me aan als een idioot. 'Dit is zo uitzon-derlijk. Elke keer dat ik erover nadenk, ontdek ik weer iets nieuws. We hebben een enorme sprong vooruit gemaakt – eigenlijk achteruit, als je de punt-jes op de 'i' wilt zetten. Alsof je op één onvoorstel-bare dag, met één verbijsterende bezwering van het eerste stenen wiel naar de eerste bemande ruimte-vlucht gaat. Dit vereist jaren onderzoek en analyse. We moeten zien uit te vinden hoe jullie drieën dit heb-ben klaargespeeld, hoe de energie moet worden be-heerst, wat we er nog meer mee kunnen. Dat bete-kent dat we –'

'Als u niet ophoudt met raaskallen ga ik slaan,' waarschuw ik hem. 'Vertel ons wat u weet – of ver-moedt,' zegt ik er snel achteraan, wanneer hij zijn mond al opendoet om tegen te werpen dat hij niets met zekerheid kan zeggen.

'Ik begrijp dat jullie in het duister tasten, ik begrijp

dat jullie antwoorden willen, net als ik. Maar...' Hij stopt, verzamelt zijn gedachten en haalt diep adem. 'Je hebt me ooit een vraag gesteld, Kernel. Het is een vraag die de meeste Discipelen me hebben gesteld, meestal niet lang nadat ik hun had verteld dat met magie alles mogelijk is. Weet je nog welke vraag dat was?'

'Ik ben niet in de stemming voor raadsels,' zegt Kernel zuchtend. 'Ik wil gewoon mijn ogen terug. Kunt u dat regelen?'

'Nu even niet,' antwoordt Beranabus en geïrriteerd wuift hij de vraag weg. 'Denk na, jongen. Je vertelde me over je jeugd, de keer dat je je eerste venster creëerde en het universum van de Demonata binnenstapte. Je zei dat alle ellende toen was begonnen, dat als je terug kon gaan om dat moment ongedaan te maken alles weer in orde zou zijn. Je vroeg me of –'

'Nee!' kreunt Kernel. 'Onmogelijk.'

'Dat dacht ik eerst ook,' grinnikt Beranabus.

'Maar u zei dat het niet kon!' protesteert Kernel.

'En dat was ook zo. Het was nog nooit iemand gelukt en ik dacht dat het nooit zou gebeuren ook. Maar ons is het nu wel gelukt. Bec en Grubbs en jij hebben het klaargespeeld. Jullie hebben de laatste barrière doorbroken. Ik had het nooit voor mogelijk gehouden. Ik had de hoop al heel lang geleden opgegeven. Als je zo veel hebt gezien als ik, dan...'

'Wát?' onderbreek ik hem scherp. 'Waar doen jullie zo geheimzinnig over? Wat was de vraag die Kernel toen stelde?'

'De vraag die ze uiteindelijk allemaal stellen,' antwoordt Beranabus glimlachend. 'De vraag die ook jij me zou hebben gesteld, als je na verloop van tijd zou terugkijken op alle keren dat het fout ging en je afvroeg hoe het was gelopen als je dit of dat anders had gedaan, het ene pad was ingeslagen in plaats van het andere.'

Beranabus zwijgt en kijkt omhoog naar de boomtoppen en de maan daarachter, alsof hij het honderd procent zeker wil weten voordat hij het hardop uitspreekt. Wanneer hij me weer aankijkt, is zijn glimlach er nog steeds, maar onzekerder, alsof hij niet weet of hij moet glimlachen of niet. Dan zegt hij heel zacht: 'Kernel vroeg me of het mogelijk is terug te reizen in de tijd.'

Een geschokt moment van ongelovige stilte. Dan lach ik. 'Da's een goeie. Ik trapte er bijna in. Maar nu even ophouden met grappen maken en...'

'Het is geen grap,' zegt Beranabus.

'U probeert me te vertellen dat we terug zijn gekeerd naar het verleden, net als in een slechte sciencefictionfilm?'

'Nee. Net als in een heel goeie sciencefictionfilm,' giechelt Kernel bijdehand.

'Kappen,' mompel ik. 'Het is al waanzinnig genoeg zonder dat jullie er een of andere bespottelijke draai aan geven. We moeten logisch blijven denken, alles stap voor stap nalopen, om te kunnen begrijpen wat er gebeurd is. In het wilde weg gaan gissen heeft geen zin.'

'Ik doe niets in het wilde weg,' zegt Beranabus. 'En het is geen speculatie. Het is een feit.'

'Ik weiger het te geloven. U vergist zich.'

'Hoe wil je dat dan verklaren?' Hij wijst op het gat, de rotsblokken, de bomen.

'Het is een illusie. Een visioen dat we zelf tevoorschijn hebben getoverd of een beeld dat Bec ons heeft ingeprent om ons de verschrikkelijke waarheid te besparen. Het is me eerder overkomen, in Slagtenstein. Misschien liggen we bewusteloos bij de ingang van de grot terwijl de demonen onze lichamen aan stukken rijten en is dit de enige manier om de pijn niet te voelen. Of zijn we naar het universum van de Demonata verhuisd en hebben we deze scène zelf in het leven geroepen. Weet ik veel, misschien zijn we wel dood en is dit het hiernamaals dat we hebben gekozen!'

'We zijn niet dood,' zegt Kernel. 'En we verbeelden het ons ook niet. Anders had ik mezelf nieuwe ogen gegeven.'

'Tijdreizen kan niet,' zeg ik langzaam, alsof ik een kind iets probeer uit te leggen wat iedereen weet.

'Vliegen ook niet,' zegt Beranabus, 'maar jij hebt als een vogel door de lucht gezweefd.'

'Dat is wat anders,' snauw ik. 'Waar u het over hebt...' Ik schud mijn hoofd.

'Hoe is het gebeurd, Beranabus?' vraagt Kernel. 'Ik geloof u – tenminste, dat denk ik – maar hoe dan? U hebt altijd beweerd dat het verleden het enige was wat we niet konden veranderen.'

'Dat is zo. Ik bedoel, dat was zo. Demonen kunnen het niet. Tovenaars kunnen het zeker niet. Maar de *Kah-Gash*...'

Kernel zuigt de lucht tussen zijn tanden door naar binnen. 'Weet u het zeker?'

'Het moet haast wel,' houdt Beranabus vol. 'Die enorme kracht... het vermogen een heel universum te vernietigen... Waarom dan niet ook het vermogen de tijd om te keren?'

'Maar als u gelijk hebt, dan betekent dat...'

'Grubbs en Bec waren de ontbrekende schakels. En er moeten er maar drie zijn geweest. Het werkte pas toen alle onderdelen bijeen waren gebracht. Tenminste, ik denk niet dat het...' Hij fronst.

'Waar hebben jullie het in hemelsnaam over?' bijt ik hen toe. 'Wat is een karkasj?'

'Kah-Gash,' verbetert Kernel me. Hij trilt, maar niet van de pijn of de kou. 'Het is een mythisch wapen. Je moet er een universum mee kunnen vernietigen, het onze of dat van de Demonata. Miljoenen of miljarden jaren geleden is het in een onbekend aantal delen opgesplitst. Sindsdien hebben allerlei demonen en tovenaars ernaar gezocht, maar tevergeefs. Dertig jaar geleden ontdekten we een van de delen. In mij.'

'Zit er iets in jou geïmplanteerd?'

'Nee. Ik bén een deel van de Kah-Gash.'

'Ik begrijp het niet. Hoe kun je nou een deel van een wapen zijn? Je bent een mens.'

'Ik ben een magisch wezen,' werpt hij tegen. 'De Kah-Gash is een wapen gebaseerd op magie, en niet op wetenschap. Het kan elke gewenste vorm aannemen.'

Ik laat het tot me doordringen en combineer het met wat ze een paar minuten eerder over Bec en mij hebben gezegd. 'Jullie denken dat Bec en ik ook deel uitmaken van dat wapen?'

'Dat moet haast wel,' antwoordt Beranabus. 'De sterren liegen niet. We zijn terug de tijd in gereisd, naar de nacht dat de tunnel weer werd geopend. En jullie drieën hebben het gedaan. We hebben het zien gebeuren. Afgezien van de Kah-Gash is er geen enkele kracht in de twee universums die dat had kunnen klaarspelen.'

'Maar hoe dan?' fluistert Kernel. 'En waarom? Als dit het werk van de Kah-Gash is, waar heeft hij dan de energie vandaan gehaald om de loop van de tijd te keren? En waarom zijn we juist naar dit moment teruggebracht? Waarom is hij hier gestopt en niet honderd jaar geleden, of een miljoen jaar geleden?'

Beranabus krabt aan zijn nek. 'Wat voelden jullie toen het gebeurde?' vraagt hij.

Kernel haalt zijn schouders op. 'Er stroomde krachtige energie door me heen.'

'Waar vandaan?'

'Overal om me heen.'

'Grubbs? Kun jij het nauwkeuriger zeggen?'

'Uit de grond,' mompel ik. 'De energie kwam uit de rotsen, van onderaf.'

'En stroomde die energie je lichaam in of erdoorheen?'

'Wat maakt dat uit?'

'Als je die hoeveelheid energie je lichaam alleen maar in had laten stromen en niet ook weer eruit, was je uit elkaar gespat,' zegt Beranabus. 'Jullie moeten de magie ergens op hebben gericht. Maar waarop? De demonen? De hemel?'

'De grot,' antwoordt Kernel na een moment van bedachtzame stilte. 'De energie kwam uit de grond, ging door ons heen en weer terug de rotsbodem in, naar de grot... de tunnel.'

'Klopt.' Nu herinner ik het me weer.

Beranabus glimlacht. 'De Kah-Gash – Kernel, Bec en jij – hebben als een soort vergrootglas gewerkt. Jullie hebben energie van de tunnel afgetapt en die weer terug de tunnel in gestuurd.' Hij wil langs zijn baard strijken, realiseert zich dat hij geen baard meer heeft en begint in plaats daarvan met zijn vingers op zijn kin te tikken. 'Ik weet het niet zeker, misschien zal ik het nooit zeker weten, maar ik denk dat het zo is gegaan.

'Het openen van een venster tussen het universum van de Demonata en dat van ons is alsof je een gaatje in een damwand maakt. De materie vloeit van hun universum het onze in en dat genereert energie. Ruimte, tijd, zwaartekracht, de krachten die onze universums bijeenhouden... Elke keer dat een demon of een van ons een scheur creëert sijpelen ze erdoorheen.

'Vensters zijn maar klein en tijdelijk en de hoeveelheid energie die wordt gegenereerd is minimaal. Maar in dit geval was er sprake van een tunnel die vierentwintig uur per dag openstond. Er kwam een enorme massa magie doorheen. Jullie drieën hebben daarvan afgetapt. Nee... jullie moeten meer hebben gedaan dan alleen aftappen. Jullie...' Hij knipt met zijn vingers. 'Jullie hebben die kolkende stroom bereden! Het was een soort energiegolf. Jullie hebben die golf beklommen en hem terug naar zijn bron geleid. Jullie hebben hem niet alleen gekeerd maar tegelijkertijd een bepaalde kant op gestuurd.'

'Terug naar zijn bron?' vraagt Kernel. 'Bedoelt u terug naar het universum van de Demonata?'

'Nee,' zegt Beranabus. 'Jullie zijn de golf terug in de tijd gevolgd, waarbij jullie hem transformeerden en uiteindelijk lieten uitdoven, terug naar het moment waarop de tunnel werd gemaakt. Jullie hebben hem omgekeerd en uiteindelijk tenietgedaan.' Hij kijkt me aan, met ogen die stralen van opwinding. 'Dit is de nacht van de volle maan. De nacht waarop Lord Loss naar Carcery Vale terugkeerde. De Kah-Gash hebben ons terug in de tijd gevoerd naar de nacht waarop de tunnel werd gereactiveerd, zodat we konden voorkomen dat hij werd geopend!'

Hij grijpt mijn handen beet en knijpt er stevig in. 'Snap je het niet? We krijgen een tweede kans. Niet om de schade die de demonen hebben aangericht te herstellen, maar om te voorkomen dat er überhaupt schade ontstaat!'

'Maar... nee... Ik snap niet...' mompel ik. Het duizelt me.

'Grubbs,' zegt Beranabus zacht. 'Op dit moment zijn Derwisj en je broer nog in leven. We kunnen hen helpen, maar alleen als we ervan uitgaan dat het ook echt zo is en snel in actie komen. Dus, blijf je je daar staan verzetten tegen wat je zintuigen je vertellen, of ga je me helpen de wereld en iedereen die je dierbaar is te redden?'

Als hij het zo formuleert...

Een tijdig ingrijpen

Beranabus is het gat in gegaan, maar niet verder dan waar het zich verbreedt en bij de schacht uitkomt. Daar is hij neergehurkt, met gesloten ogen, om de grot onder ons met zijn zintuigen af te tasten en precies te weten te komen met wie en wat we de strijd moeten aangaan.

Ik wilde dat we nog een paar dagen verder terug waren gereisd. Dan hadden we de Discipelen om hulp kunnen vragen. Maar Beranabus zei dat dat niet had gekund. Aangezien we op de energiegolf reisden die bij het openen van de tunnel was ontstaan, konden we niet verder terug dan de oorsprong ervan. Hij had het vergeleken met het eind van een treinspoor – wanneer er geen rails meer liggen, is dat het eind van de rit.

Geen spoor van Bec. Ik heb de rotsen nauwlettend in de gaten gehouden en mijn oren open gehouden voor haar vreemde gefluister, maar ze heeft zich niet laten zien. Ik weet dat Beranabus zich zorgen om haar maakt. Hij is bang dat ze is omgekomen toen ze ons hielp terug te keren, dat ze zichzelf voor ons heeft opgeofferd. Ik snap niet goed wat daar zo vreselijk aan is – ze was al dood! – maar dat zeg ik niet tegen Beranabus. Dat meisje lijkt wel de enige op de wereld om wie hij geeft. Ik denk niet dat hij het op prijs stelt als ik grappen over haar maak.

Kernel loopt rond, met zijn handen langs zijn lichaam, en probeert als een vleermuis te navigeren. Met als enige verschil dat hij geen radiogolven uitzendt (of wat een vleermuis dan ook gebruikt), maar magische impulsen, die dan terugkaatsen en hem zo laten weten waar hij is. Tenminste, dat is zijn theorie. Maar met al die bomen waar hij de laatste paar minuten tegenaan is geknald ben ik er niet zo zeker van dat het werkt.

'Aah!' Kernel loopt weer tegen een laaghangende tak aan. Hij doet een stap achteruit en wrijft over zijn hoofd.

'Hou er toch mee op,' snauw ik hem toe. 'Straks steek je...'

Ik hou abrupt mijn mond. Ik wilde zeggen dat hij zijn ogen nog zou uitsteken als hij niet uitkeek, maar ik denk dat het een beetje laat is voor dat soort waarschuwingen.

'Ik moet het leren,' mompelt Kernel. 'Beranabus heeft me nodig. Er moeten demonen gedood worden.'

Ik loop naar hem toe, pak zijn linkerarm beet en leid hem voorzichtig weg van de bomen. Zijn moed vervult me met ontzag en schaamte. Tuurlijk, ik was dapper genoeg om me in de strijd te werpen toen er geen andere uitweg meer was, maar dit is een ander soort moed. Hij is nog maar net zijn ogen kwijt, maar hier staat hij, vastbesloten de strijd voort te zetten. Als ik in zijn schoenen stond, zou ik jammeren als een klein kind, vol zelfmedelijden, en de situatie met beide handen aangrijpen om naar de zijlijn te verdwijnen en alle moeilijkheden uit de weg te gaan.

'Ik zal je leiden,' beloof ik. 'Ik zal je ogen en je oren zijn in de grot. Concentreer jij je maar op je magie. Ik zal zeggen waar je op moet richten en wanneer.'

'Dank je,' zegt hij met een flauwe glimlach. 'Maar als we toch moeten wachten, kan ik net zo goed wat oefenen. Het kan geen kwaad en het leidt me af van wat er gebeurd is. Trouwens, ik heb het gevoel dat ik het te pakken krijg.' Hij wurmt zichzelf los en loopt weer verder, zijn armen strak langs zijn lichaam, zijn gezicht in de plooi, zijn zintuigen op scherp.

'Ai!'

Schrapende geluiden. Beranabus komt het gat uit en veegt de aarde en het steengruis van zijn onbeschermde huid. Hij ziet er niet bezorgd uit – opgewekt zelfs, op een ingehouden manier. 'Het is beter dan ik had gehoopt,' zegt hij. 'Lord Loss en Juni zijn er, enkele van zijn trawanten – de drie die we in het vliegtuig hebben ontmoet – en Derwisj en Bill-E. Meer niet, tenzij een aantal hun aanwezigheid maskeert, wat niet waarschijnlijk is. Ik denk dat we ons met slechts vijf vijanden bezig hoeven te houden.' Hij maakt een klakkend geluid met zijn tong. 'Of zeven.'

'Wat wilt u daarmee zeggen?' bijt ik hem toe.

'We weten niet waar Derwisj en Bill-E staan.'

'Natuurlijk wel,' kaats ik terug. 'Aan onze kant.'

'Waarschijnlijk. Maar we mogen er niet van uitgaan. We weten niet hoe diep Juni zich in hun geest heeft gewurmd. Als ze onder invloed staan van een van haar bezweringen, kunnen ze zich achter de demonenmeester hebben geschaard.'

'Nooit,' grom ik.

Beranabus haalt zijn schouders op. 'Ik ga er niet over twisten. Wees je gewoon bewust van de mogelijkheid. Ik zeg niet dat we naar beneden gaan en ze meteen opblazen. Maar het is mogelijk dat we ze een paar hoeken van de grot moeten laten zien.'

'Ik ken Derwisj en Bill-E,' zeg ik gespannen. 'Ze zouden ons nooit verraden, hoe krachtig de bezwering ook is.'

'Doe niet zo naïef,' blaft Beranabus en dan roept hij Kernel. 'Denk je dat je het redt daar beneden of ga je ons alleen maar in de weg lopen?'

Ik vind het ongelooflijk gevoelloos dat hij zijn blinde assistent zo aanspreekt, maar Kernel glimlacht. 'Ik red me wel. Grubbs geeft me wel een behulpzaam duwtje in de goede richting. Ik kan niet veel doen, maar ik kan wel wat hinder veroorzaken.'

'Zolang je dat maar bij hen doet en niet bij ons,' gromt Beranabus. Hij laat zijn stem dalen. 'Laten we niet te overmoedig worden. Ze zijn dan wel maar met zijn vijven, maar het is een dodelijk kwintet. Lord Loss is machtiger dan wie van ons ook. Juni doet niet onder voor Kernel mét ogen en nu is ze zeker sterker dan hij. En zijn trawanten zijn ook gevaarlijk. Laten we niet vergeten: wij zijn slechts een oude man, zijn blinde assistent en een jongen die onder druk tot van alles in staat was.'

'U weet wel hoe je iemands zenuwen voor een gevecht tot bedaren brengt,' zeg ik sarcastisch.

'Ik ben hier niet om opbeurende toespraken te houden,' reageert Beranabus. 'We maken een goede kans om te winnen. Veel meer dan eerst. Maar we moeten scherp blijven. We kunnen ons geen fouten veroorloven. Er wordt ons een tweede kans gegund; een derde krijgen we niet. We hebben gezien wat de gevolgen zijn als we verliezen. We mogen onze aandacht dus niet laten verslappen en moeten ons uiterste best doen. En vergeet niet: als we verliezen, sterven we en met ons de rest van de wereld.'

Hij maakt aanstalten om het gat in te gaan en blijft staan. 'Vergeet ik bijna het belangrijkste!' Hij grinnikt in zichzelf. 'Ik ben te oud en te seniel om deze wereld nog te beschermen. Als we hier heelhuids uitkomen, is het tijd om een paar slippers aan te schaffen en op zoek te gaan naar een rustig plekje op deze aardbol waar ik...' Hij kucht. 'Sorry. Ik dwaalde even af. Waar had ik het ook alweer over?'

'Het belangrijkste,' herinnert Kernel hem geduldig.

'O ja. De sleutel.' Hij tikt op de grond om het belang van zijn woorden te benadrukken. 'Ik heb jullie al verteld hoe de tunnel is geopend. Een van de menselijke bondgenoten van Lord Loss heeft een offer gebracht in de grot en moet nu één worden met de rots om de opening te creëren. Tenzij er daar beneden iemand is van wie ik het bestaan niet ken, moet deze persoon – de sleutel – de vrouw zijn die zichzelf Juni Swan noemt.'

'Kan het niet Arterie of een van de andere vertrouwelingen zijn?' vraag ik.

'Nee. Het moet een mens zijn. Dat zijn de regels.'

'Regels kunnen veranderen,' zegt Kernel. 'Volgens Bec had u het ook mis over de demonen die naar hun universum gezogen zouden worden op het moment dat de tunnel werd gesloten.'

'Dat kan wel zo zijn,' gromt Beranabus geïrriteerd, 'maar ze heeft er niets over gezegd dat deze regel gewijzigd was. Trouwens, we hebben Lord Loss en zijn trawanten tijdens het gevecht gezien. Juni was de enige die er niet bij was.'

'Het zou Derwisj of de jongen kunnen zijn,' oppert Kernel.

Ik verstijf, maar voordat ik kan reageren, neemt Beranabus weer het woord.

'Nee. Als ze onder invloed staan van de bezwering van de vrouw, zijn ze nog maar net gezwicht. Het plan van Lord Loss was om de tunnel in de nacht van de vorige volle maan te openen. Dat betekent dat het offer enkele weken daarvoor is gedaan. Op dat moment waren Derwisj en de jongen volledig bij zinnen. Dus moet het Juni zijn. Zij is ons belangrijkste doelwit. Als we haar doden, kunnen we winnen.'

'Kan Lord Loss niet een ander mens gebruiken?' vraag ik.

'Nee. Alleen degene die het offer heeft gebracht kan als sleutel fungeren. Hij kan het later nog eens proberen en iemand een offer laten brengen. Maar als we hem vannacht verslaan, zullen we ervoor zorgen dat hij die mogelijkheid nooit meer krijgt.

'We richten ons op Juni. Haar metgezellen zullen er alles aan doen om haar te beschermen. We zullen met hen moeten vechten, maar we moeten ons niet laten afleiden. Juni is ons doelwit. De anderen doen er niet toe.

'Dus, weten jullie wat je te doen staat? Zijn jullie klaar voor de laatste strijd, de belangrijkste aller tijden? Zijn jullie er klaar voor om onverschrokken de bres in te gaan en deze demonen te vermorzelen?' Hij pakt mijn rechter- en Kernels linkerhand beet. 'Kan ik van jullie op aan, jongens, helemaal tot aan het glorieuze, triomfantelijke eind?'

'Dat lijkt er meer op,' grinnik ik.

'Precies wat je wilt horen voordat je als gladiator de arena in stapt,' stemt Kernel met me in.

We laten het moment tot ons doordringen en kijken elkaar glimlachend aan. (Kernel staat een beetje schuin en glimlacht naar een boom.) Dan draaien we ons naar de ingang van de grot en zetten de beslissende stap voorwaarts.

'Stop!' hijg ik en ik verbreek het stemmige moment, maar ik word plotseling overrompeld door een gedachte die ik niet van me kan afschudden.

'Wat is er mis?' vraagt Beranabus.

'Niks. Ik bedoel... ik weet niet of u... Het is niet echt belangrijk, maar...' Ik knik naar mijn naakte vlees. 'Ik wil ze niet zo onder ogen komen. Kunt u niet toevallig wat kleren tevoorschijn toveren?'

Beranabus kijkt me ongelovig aan – en lacht. 'Waar jij je al niet druk om maakt! Maar je hebt wel gelijk. Je moet altijd op gepaste wijze gekleed ten strijde trekken.' Hij maakt een koninklijk gebaar en boven onze hoofden ritselen de bomen. Het voelt alsof ik stevig in ruwe dekens word gewikkeld. Ik kijk omlaag en zie dat ik vanaf mijn enkels tot aan mijn nek in een pak van groene, rode en gele bladeren ben gehuld, net als Beranabus en Kernel.

'Meer kan ik nu niet doen,' zegt Beranabus. 'Het materiaal blijft niet lang goed, maar voor de duur van het gevecht houdt het wel.'

'Perfect,' zeg ik grijnzend. Ik schud met mijn armen om te controleren of het niet te strak zit. Dan draaien we ons weer naar het gat, doen een stap naar voren en gaan de helling af.

De schacht voelt nauwer aan dan de eerste keer. De rotswand is warm en lijkt te pulseren met magische energie. In stilte klim ik in de duisternis omlaag, voorzichtig tastend naar houvast voor mijn voeten en vingers. Ik probeer geen steentjes naar beneden te laten rollen, om te voorkomen dat de demonen worden gewaarschuwd door het geluid.

Ik haat dit. Ik voel geen greintje opwinding over het gevecht dat zo meteen gaat losbarsten. Alleen maar doodsangst. Als er een manier was om het uit de weg te gaan, zou ik me als de sodemieter uit de voeten maken. Maar er is geen alternatief. Het is vechten op leven en dood, of deze wereld en iedereen die me dierbaar is uitleveren aan de Demonata. Ik zou mezelf graag als held zien, maar in werkelijkheid doe ik gewoon wat ik moet doen. Ik heb geen keus.

Zal ik Juni kunnen doden als de mogelijkheid zich voordoet? Ik weet het niet. Ik verafschuw haar, misschien nog wel meer dan Lord Loss. Hij is een demon, gemaakt voor het kwaad, maar zij heeft bewust de keus gemaakt om haar mensen te verraden. Aan de andere kant, ze blijft een mens. Het is anders dan een demon doden. Ik weet niet of ik het zou kunnen. Hopelijk hoef ik het niet te doen. Dat is meer een klusje voor Beranabus. Ik denk dat hij ervan zal genieten om de verraderlijke mejuffrouw Swan aan mootjes te hakken. Maar als het allemaal anders loopt... als ik oog in oog met haar kom te staan... als het aan mij is om haar uit te schakelen...

Ik schud de gedachte van me af. Het heeft geen zin om me daar nu zorgen over te maken. Ik moet het spel gewoon uitspelen en er het beste van hopen. Ik moet me concentreren op het gevecht, de grot in gaan met de overtuiging dat wij gaan winnen en niet met allemaal twijfels.

Ik richt mijn aandacht weer op de afdaling en hoe we als krabben langs de rotswand omlaag klauteren, hand voor hand, voet voor voet, langzaam, voorzichtig, steeds dichter bij de demonen onder ons.

We hebben de bodem van de schacht bereikt en verzamelen op de stevige rotsvloer. Ik zie licht vóór ons. Zacht, blauw, onnatuurlijk licht. Drie verschillende geluiden –

Iemand is aan het chanten.

Af en toe gegrom en happende geluiden.

Zacht gejammer en gekreun.

Beranabus controleert of we klaar zijn en loopt dan in de richting van het licht. Ik loop een paar passen achter hem, een beetje naar rechts zodat ik langs hem heen kan kijken, en leid Kernel bij zijn in bladeren gehulde arm. Bij vrijwel elke stap stoot ik mijn tenen tegen een stuk rots, maar die pijn is van ondergeschikt belang en makkelijk te negeren.

We komen bij de centrale ruimte en daar ontvouwt zich het tafereel. Juni en Lord Loss staan voor de scheur naast de waterval, de scheur die ik heb gemaakt. Het schuldgevoel laait even op – heb ik de demonen ongewild geholpen? Maar het duurt niet lang.

Mijn verstand zegt me dat ik me niet schuldig hoef te voelen. Een dergelijke opening hadden ze zonder veel moeite ook zelf kunnen maken.

Een paar meter achter Juni en haar meester zitten Derwisj en Bill-E op hun knieën op de grond. Hun armen zitten met touwen vast en ze hebben een prop in hun mond. Arterie, Femur en Spine dansen kakelend om hen heen, doen af en toe een uitval met klapperende kaken en uitgestoken klauwen – en springen dan weer achteruit zonder hen te hebben aangeraakt. Bill-E is degene die jammert en kreunt, en die voor de demonen probeert weg te duiken. Derwisj zit rechtop, verslagen maar niet gebroken, en werpt Juni en de Grootmeester van het Kwaad haatdragende blikken toe.

Opluchting. Derwisj en Bill-E zijn onschuldig. Ze zijn niet door Juni behekst. Ze zijn slachtoffer, en niet de vijand. Er valt een loden last van me af. Of ik nu wel of niet in staat ben Juni te doden, mijn oom en mijn broer zou ik nooit een haar hebben kunnen krenken, zelfs niet als ze met de demonen hadden samengespannen.

'Goedenavond, samen!' buldert Beranabus, en hij laat mij bijna net zo hard schrikken als de rest van de aanwezigen. Lord Loss, zijn trawanten en Juni reageren alsof ze gestoken zijn. Derwisj en Bill-E draaien hun hoofden zo ver mogelijk in onze richting. 'Ik hoop niet dat we te laat zijn,' zegt Beranabus, terwijl hij naar voren beent en zijn hand opsteekt naar Derwisj. 'We werden onderweg wat opgehouden. Jullie zouden het niet geloven, als ik vertelde wat we hebben meegemaakt.'

De demon in de konijnengedaante grauwt en duikt in elkaar, klaar om met zijn enorme achterpoten naar de andere kant van de grot te springen en Beranabus onder te spetteren met zuur.

'Wacht.' Lord Loss houdt Femur tegen. Met een van zijn acht armen geeft hij Juni een klopje op haar linkerarm en hij knikt naar de scheur. Ze werpt ons een blik vol haat toe, draait zich weer naar de rots en gaat verder met chanten. 'Wat een onverwacht genoegen,' zegt Lord Loss ijzig, terwijl hij langs Derwisj en Bill-E op ons af zweeft.

'Toen we van het feestje hoorden, móésten we even aanwippen,' grapt Beranabus. Van zijn gewone, ernstige zelf is niets meer te bekennen. 'Ik hoop dat we niet ongelegen komen?'

'Zeker niet,' zegt Lord Loss met een glimlach. 'Wat een verrassing om jullie te zien. Vooral de jonge Grubitsch. Toen hij in het vliegtuig tussen onze vingers doorglipte, was ik bang dat het een hele tijd zou duren voordat onze paden zich weer kruisten. Maar hier staat hij weer fris voor me, in al zijn onschuld, klaar om te sterven. Je weet toch dat je gaat sterven, Grubitsch? Je realiseert je toch dat jullie einde nabij is, dat jij, je oom en je broer zijn verdoemd?'

'Hou je kop, achte–'

Ik hou abrupt mijn mond. Hij noemde Bill-E mijn broer. Natuurlijk was Lord Loss ervan op de hoogte – Bill-E was besmet met de familievloek – maar Bill-E zelf niet. We hebben het hem nooit verteld. Ik probeer langs de demonenmeester te kijken, om de blik van mijn halfbroer op te vangen, maar Lord Loss staat in de weg.

'Inderdaad, Grubitsch,' zegt het monster spinnend. 'Ik heb het hem verteld. We hebben vanavond een hele tijd zitten praten over hoe jij de waarheid voor hem verborgen hebt gehouden en bent weggerend op het moment dat het lastig werd, en hem hebt achtergelaten als offer voor mij.'

'Dat is niet waar!' schreeuw ik. 'Geloof hem niet, Bill-E. Ik –'

'Dat is nu niet belangrijk,' onderbreekt Beranabus me. 'Wat mij interesseert is wie het brein achter dit alles is. Voor welk hels addergebroed werken jullie? Wie heeft de demonen verenigd en hun bevolen de tunnel door te gaan zodra die is geopend?'

Lord Loss fronst. 'Je bent op de hoogte van ons plan?'

'Blijkbaar. Vertel me nu maar wie erachter zit.'

De demonenmeester grinnikt. 'Nee, Beranabus. Je bent heel slim geweest. Maar als je niet de volle omvang kent van de kracht waarmee jij je wilt gaan meten, vertel ik het je ook niet. Het is niet aan mij om het je uit te leggen. Doe jij je eigen speurwerk maar. Ik weet zeker dat jij en je kundige assistenten...'

Zijn blik valt op de oogloze Kernel Fleck. 'Maar wat is dat? Wat is er met de arme Cornelius gebeurd?'

'Dat doet er niet toe,' snauwt Beranabus. 'Ik wil weten wie –'

'Ik herken die wonden,' vervolgt Lord Loss met stemverheffing. 'Dat is het merkteken van mijn dienaar Spine. Ik herken die verwondingen uit duizenden. Ik zie zelfs nog enkele van zijn wormvormige nakomelingen in de bebloede oogkassen zitten. Het moet een recente aanval zijn geweest. Maar Spine was de hele tijd bij me.' Hij kijkt zijn dienaar aan. De schorpioen met het bijna menselijke gezicht staart uitdrukkingsloos terug.

'En jullie haar,' zegt Lord Loss, terwijl hij ons weer opneemt. 'Jullie zijn even kaal als ik. Jullie zijn verwikkeld geweest in een uitermate gewelddadig gevecht. Spine blijkbaar ook. Maar hoe…'

'Als jij ons vertelt welke demon je hiertoe heeft aangezet, vertel ik je over ons gevecht,' zegt Beranabus grijnzend.

'Als ik wist dat je te vertrouwen was, zou ik graag op je voorstel ingaan,' antwoordt Lord Loss. 'Ik vermoed hier een grote mate van magie en mysterie. Als ik niet beter wist zou ik zeggen dat…' Zijn stem sterft weg. Dan sneert hij: 'Ik ken je Beranabus. Je bent een schurk. Je zou je niet aan je belofte houden en me niets vertellen. En dus hou ik mijn mond en martel ik de waarheid uit de jongen zodra ik jullie verslagen heb.'

Beranabus snuift. 'Geheimhouding en verrassing waren je enige pluspunten. Nu we je plannen doorkruist hebben, zul je ons openlijk tegemoet moeten treden, in onze wereld, waar je macht beperkt is. Je kunt ons niet verslaan. Als je de bezweringen ongedaan maakt en vertrekt, zal ik je laten gaan en deze plek verzegelen. Maar als je ons dwingt te vechten, doden we jullie allemaal. Zelfs degenen die al eerder zijn gestorven.'

'Ah,' grinnikt Lord Loss. 'Je hebt de vermomming van mejuffrouw Swan doorzien.'

'Het moment dat mijn oog op haar viel, wist ik dat het een koekoeksjong was,' zegt Beranabus, terwijl

Juni blijft chanten en ondanks dat ze onderwerp van het gesprek is, niet op- of omkijkt. 'Het duurde even voordat ik de illusie had doorgeprikt, maar haar ware gezicht kende ik al lang voordat ze stappen ging ondernemen tegen Grubbs.'

'Waar hebt u het over?' mompel ik.

'Kijk maar,' zegt Beranabus en hij prevelt een korte bezwering terwijl hij met een hand in de richting van Juni wuift. Lord Loss maakt geen aanstalten haar te verdedigen. Hij geniet hiervan. Voor mijn ogen begint Juni's vlees te rimpelen. Ze stopt met chanten en schreeuwt het uit, niet van pijn, maar van verrassing. Haar handen schieten naar haar gezicht. Ze draait zich abrupt om en kijkt Beranabus woedend aan. Geschrokken slaakt Derwisj een gedempte kreet en deinst achteruit.

Haar gezicht is volkomen veranderd. Het is veel gewoner. Vol littekens van de acne. Viezig, kort blond haar. Blauwe ogen. Een nors gezicht. Beetje paffig. Bleek, maar niet zo wit als haar albinovlees. Ze lijkt jonger dan eerst, misschien halverwege of eind twintig.

'Wat gebeurt er?' vraagt Kernel.

Voordat ik het hem kan vertellen, begint Juni in een totaal andere stem dan die van haarzelf te krijsen. 'Geef me mijn gezicht terug, smeerlap!'

Er verschijnen rimpels op Kernels voorhoofd. '*Nadia?*' Hij hapt naar adem.

'Je hebt goede oren,' zegt Lord Loss poeslief. 'Jammer van je ogen.'

'Nadia Moore,' zegt Beranabus en hij snuift verachtelijk. 'Ook een verre verwant van je, Grubbs, en ooit een van mijn dierbaarste assistenten. Ik dacht dat ze jaren geleden in het rijk van Lord Loss was gestorven, maar blijkbaar is ze alleen maar van kamp veranderd en heeft ze zichzelf een ander uiterlijk aangemeten.'

'Cornelius was ervan op de hoogte,' zegt Lord Loss vergenoegd. 'Niet van haar wedergeboorte als Juni Swan, maar wel dat ze nog leefde, van de truc die ze uithaalde om aan jouw tirannieke bewind te ontsnappen. Hij heeft het voor je geheimgehouden, Beranabus. Misschien heeft hij wel meer geheimen. Weet je zeker dat je hem kunt vertrouwen?'

Beranabus haalt zijn neus op voor de spottende opmerking. 'Ik heb je liever zo, Nadia,' zegt hij. 'De werkelijkheid is aantrekkelijker dan een façade. Je had je oorspronkelijke gezicht moeten behouden.'

'Ik ben Nadia Moore niet,' bijt Juni hem toe. 'Zij is gestorven, precies zoals jij het hebt zien gebeuren. Alles wat haar toebehoorde heb ik achter me gelaten: haar naam, haar uiterlijk, haar loyaliteiten. Ik ben Juni Swan en dat blijf ik, ook al heb je me mijn glamour ontnomen.'

'Ik voelde me schuldig toen je werd gedood,' zegt Beranabus zacht. 'Zelden heb ik me schuldiger gevoeld in mijn lange, ellendige leven. Maar ik zal niets voelen wanneer je voor de tweede keer wordt gedood, wanneer ik je zelf dood.' Zijn gezicht verhardt zich en hij wendt zich tot Lord Loss. 'Mijn aanbod is nog steeds van kracht. Verdwijn en we doen jullie niets – ik zal zelfs Nadia laten gaan. Als jullie blijven, sterven jullie.'

'Een grootmoedig aanbod,' zegt Lord Loss. 'Als je

werd bijgestaan door de Discipelen, had ik het misschien geaccepteerd en jullie een andere keer afgeslacht. Ik vecht liever wanneer de kaarten in mijn voordeel zijn geschud. Maar je hebt alleen een blinde jongeman meegebracht en een hondsvot dat al eerder zijn lafheid heeft bewezen. Hoewel je zelf een machtig tegenstander bent, ben je ook maar een mens. En geen mens, hoe machtig ook, heeft het ooit gewonnen van een demonenmeester. Dus, als reactie op je aanbod...'

Lord Loss grijnst gemeen en krijst dan iets onverstaanbaars naar zijn trawanten. Met oorverdovende kreten van genot vallen de demonen aan.

Hemelhoog

Arterie en Lord Loss werpen zich op Beranabus. Spine, de schorpioendemon, stormt op Kernel af om de klus af te maken waarvan hij niet eens meer weet dat hij hem was begonnen. Femur heeft zijn zinnen op mij gezet.

Het is bijna komisch om het konijn op me af te zien springen. Het lijkt op een lugubere cartoon, Bugs Bunny door de duivel bezeten, die boven op de mensen springt om hen een dikke klapzoen te geven, met als enige verschil dat de pakkerd van dit schepsel iemands gezicht sissend doet wegsmelten tot een smeulende massa – niet het soort kost dat je gewoonlijk in een film van Looney Tunes krijgt voorgeschoteld.

Femur spuugt zuur de lucht in. Het stuift op me af, een nevel van dood en verderf. Aangestuurd door de magie in me, zwaai ik met mijn linkerhand naar de dodelijke vloeistof. De druppels wijken uiteen, vliegen spetterend langs mijn hoofd en komen neer op een aantal stalagmieten achter me. Daar vreten ze zich snel het gesteente in en vernietigen het werk van duizenden jaren.

Met zijn sprong is het konijn binnen mijn bereik gekomen. Ik grijp zijn nek beet en draai hem om. De nek breekt en ik smijt het schepsel aan de kant. Het rochelt, herstelt zich en staat weer op. Ik glimlach. De combinatie van de magie en het gemak waarmee ik de aanval van de demon heb afgeslagen heeft me moed gegeven. Ik wenk de demon. 'Kom maar op, slavreter!'

Terwijl Femur zijn achterpoten aanspant en zijn lippen optrekt, stommelt Kernel voorbij. Op zijn hoofd zit Spine, die met zijn angel in zijn oogkassen port. Kernel slaat hem van zich af. 'Als je hulp nodig hebt, moet je het zeggen!' schreeuw ik. Dan springt Femur weer in actie en moet ik me concentreren op het zuur dat op me af komt.

Terwijl ik het konijn op afstand houd, zie ik Beranabus. Lord Loss heeft de tovenaar in zijn greep, hij heeft alle acht zijn armen om hem heen geslagen, als een spin die een vlieg verorbert. Arterie zit op de rug van Beranabus en knaagt aan zijn schouder. Een van zijn handen is onder de huid van de tovenaar verdwenen. Ik zie knokkels bewegen onder het vlees.

Misschien is het een speling van het licht, maar het lijkt alsof Beranabus' huid van kleur is veranderd. Er hangt een paars schijnsel overheen en zijn ogen lijken groter en donkergrijs te zijn geworden. En het bloed dat uit het gat stroomt in de schouder waar Arterie op zit te kauwen... is het geel?

Terwijl ik onzeker naar Beranabus staar, springt Femur weer op me af en bestookt me tegelijkertijd met zijn bijtende vloeistof. Met een ruk richt ik mijn aandacht op de aanval. Ik bevries het zuur, stoot dan door de stevige ijswand heen en grijp het konijn bij zijn oren. 'Nu heb ik genoeg van deze onzin,' grom ik en ik ram mijn linkervuist de keel van de demon in.

Femurs ogen puilen vervaarlijk uit. Hij kokhalst en probeert mijn arm door te bijten. Hij haalt mijn vlees gemeen open. De pijn laait op, maar ik verdoof mezelf en concentreer me op mijn hand die diep in de ingewanden van het konijn is verdwenen. Ik vul mijn vuist met magie en laat hem dan exploderen, zodat de demon van binnenuit verbrandt. Femur hapt naar adem, zijn kaken verslappen, zijn ogen knipperen wild. Hij stuiptrekt. Er stroomt zuur over mijn onderarm, maar ik laat het verdampen voordat het mijn vlees kan aantasten.

De oren van het konijn komen los en ik gooi ze weg. Ze stuiteren een paar seconden op de vloer van de grot heen en weer en blijven dan stil liggen, terwijl al het leven uit Femurs lichaam verdwijnt. Zijn vlees kleurt donkerrood en verpulvert dan tot as. Met een van afschuw vertrokken gezicht schud ik de smerige troep van mijn arm. Ik wil naar de waterval lopen om mijn arm te wassen en mijn wonden uit te spoelen. Dan krijg ik een beter idee en ik richt mijn magie op mijn arm. Enkele seconden later: brandschoon littekenloos vlees. Coolio!

Mijn eerste impuls is om Beranabus te hulp te schieten of Kernel te helpen met Spine. Maar dan schiet me de waarschuwing van de tovenaar te binnen. Juni Swan is vijand nummer één. Haar moeten we tegenhouden. Ik weet niet zeker of ik het kan – de twijfel steekt weer de kop op – maar ik moet het proberen.

Ik glip langs Beranabus en Lord Loss heen en haast me naar de plek waar de getransformeerde Juni voor de scheur staat te chanten. Ze heeft haar armen gespreid en de woorden rollen in een razend tempo over haar lippen. Even denk ik een glimp van een gezicht in de rots op te vangen, aan de rand van de scheur. Maar dan is het verdwenen en ik weet niet of het Bec was, de eerste van de invasie demonen of een speling van het licht.

Ik wil Juni niet aanraken. De gedachte aan fysiek contact met haar doet me walgen. En dus breng ik mijn handen bij elkaar om een bal magie af te vuren. Er gebeurt niets. Ik voel de magie, maar het is alsof er een muur tussen ons in staat die de communicatie blokkeert. Dan dringt tot me door wat het probleem is – de weerwolf. Het is volle maan. Beranabus heeft gezegd dat het me nu geen moeite meer zou kosten om de weerwolf te onderdrukken, maar dat hij er altijd zou zijn, krabbend onder de oppervlakte, jankend, op zoek naar een manier om los te breken.

'Geen tijd voor spelletjes, wolfje,' mompel ik en in gedachten stuur ik het beest de diepte in om minstens een maand lang in stil protest zijn gevangenschap te bejammeren. Zodra de weg vrij is, laait de magie weer helder in me op. Ik laat nogmaals weten wat ik wil en deze keer voel ik hoe de energie zich in mijn handen verzamelt. Ik richt mijn handen op Juni en ik vuur. Een enorme bal magie schiet recht op haar af, raakt dan een onzichtbare barrière en verdwijnt knetterend in het niets.

Juni kijkt om, werpt me een spottende blik toe en gaat door met chanten.

'Ubbs!' gromt Derwisj terwijl ik een tweede aanval voorbereid. Hij probeert moeizaam overeind te komen. Naast hem staart Bill-E me aan alsof hij niet weet wie ik ben. 'Ubbs!' roept Derwisj opnieuw, met zijn volgepropte mond.

Ik maak een gebaar naar mijn oom en mijn broer. De proppen en de touwen waarmee ze waren vastgebonden branden weg. Zodra hij vrij is, springt Derwisj overeind en slaat zijn armen om me heen. 'Ik dacht dat je dood was!' roept hij uit, en hij verbergt zijn hoofd tegen mijn borst.

'Ik niet,' zeg ik grinnikend. Ik pak hem stevig beet en vergeet een moment lang het gevecht en alles wat er op het spel staat. Het is zo geweldig om hem weer te zien, om zijn armen om me heen te voelen, om me thuis te voelen, bij degene die van iedereen die ik ken het dichtst in de buurt komt van een vader. Als de wereld hier en nu zou eindigen, zou het wat mij betreft een mooi eind zijn.

'Grubbs?' zegt Bill-E aarzelend en hij kijkt me wantrouwend aan. 'Ben jij het echt?'

'Zeker weten... broertje.' Ik grijns onhandig.

'Je had het me moeten vertellen,' gromt hij en hij heft vermanend een vinger. 'Al die tijd... Als ik het had geweten... Ik heb mijn hele leven gedacht dat ik alleen was. Je had het me moeten vertellen!'

'Ik weet het,' zeg ik zuchtend. 'Het was stom. Vergeef je het me?'

'Dacht het niet, kaalkop,' zegt hij grijnzend. Maar zijn grijns verdwijnt als sneeuw voor de zon wanneer hij de vrouw naast de scheur in de gaten krijgt. 'Zíj daar!' grauwt hij terwijl hij met trillende vinger naar haar wijst. 'Is dat Juni?'

'Ja,' sneert Derwisj. 'Het gezicht is dan misschien anders, maar de kwaadaardige stank die ervan afkomt is hetzelfde. Ze heeft ons verteld dat jij haar hebt aangevallen, Grubbs. Dat je eerst opa en oma Spleen hebt gedood en vervolgens...' Hij pauzeert. 'Je hebt ze toch niet gedood?'

'Natuurlijk niet,' snuif ik gepikeerd, want ik wil niet toegeven dat ik ook zelf eerst had gedacht van wel.

'Ik heb het toch gezegd,' zegt Bill-E trots. 'Ik wist wel dat Grubbs geen moordenaar is.'

'Ik dacht ook van niet,' mompelt Derwisj. 'Maar ze was zo overtuigend. Helemaal in tranen toen ze terugkwam. Ze zei dat ze had gezien dat je hen doodde, dat je Billy probeerde te vermoorden, maar dat zij je had weggelokt. Ze was onze steun en toeverlaat. Loodste ons door de begrafenis heen. Troostte Billy. Stond ons bij toen de politie ons ondervroeg. Ik hield meer van haar dan ooit.

'Toen zei ze dat we je konden opsporen, dat ze de magie van de grot kon gebruiken om jou te lokaliseren. Dwaas die ik was, ik geloofde haar. Billy was bij ons ingetrokken. Juni zei dat we hem mee moesten nemen, dat het de bezwering ten goede zou kunnen komen. Ik snapte niet hoe, maar ze was sterker dan ik. Ze wist meer van magie dan ik. Ik vertrouwde haar.

'Toen we hier aankwamen, werden we besprongen door de demonen. Juni gaf me een klap op mijn hoofd en ze bonden ons vast. Lord Loss vertelde ons dat hij de tunnel ging openen. Er was een offer gebracht en de moordenaar zou zich verenigen met de rots om de tunnel open te houden. Hij zei dat hij de Demonata zou laten oversteken en me dan langzaam zou doden.

Hij zei dat hij iets speciaals in gedachten had voor Billy en mij. Hij –'

'Derwisj,' onderbreek ik hem zacht. 'Als zij die bezwering afmaakt, staat ons nog veel meer speciaals te wachten. We moeten haar doden. Nú!'

Derwisj knikt grimmig. 'Oké. Zorg jij dat die barrière verdwijnt, dan zorg ik voor de rest.'

'Weet je het zeker?' vraag ik, dankbaar, omdat hij me die afschuwelijke taak uit handen neemt. Maar ik wil hem wel een uitweg bieden als hij het gevoel heeft dat het te veel gevraagd is om de vrouw van wie hij ooit heeft gehouden af te slachten.

'Iedereen die haar probeert te doden voordat ik een poging heb gewaagd, vlieg ik naar z'n strot,' zegt Derwisj.

De vlammende haat in zijn ogen jaagt me angst aan. Een snelle blik achterom. Kernel heeft Spine op een stalagmiet gespietst en de angel van de demon rond de kalkstenen naald gewikkeld. Hij bewerkt het gezicht met zijn rechtervuist en houdt met zijn linkerhand de angel in bedwang.

Beranabus, wiens huid nog donkerder paars is geworden dan eerst, is in gevecht gewikkeld met Lord Loss. De demonenmeester jankt als een hond en de slangetjes in zijn borstholte geselen de tovenaar met hun gevorkte tongen. Arterie heeft zijn beide handen onder Beranabus' huid gewerkt en probeert nu ook zijn hoofd eronder te wurmen, om zich zo door de botten heen een weg te knagen naar de vlezige ingewanden. Het ziet er niet goed uit voor de oude tovenaar, maar ik weet dat hij liever wil dat we Juni doden en hem laten omkomen, dan dat we hem redden en haar vrij spel geven om de tunnel te openen.

Ik laad mijn vuisten weer op met magische energie – *wham!* Opladen – *wham!* Opladen – *wham!* Derwisj staat een paar meter voor me, een beetje opzij vanwege de explosies, met jeukende handen, zijn blik op Juni gefixeerd, verlangend naar het moment dat zijn vingers zich rond haar keel sluiten. Bill-E dekt me in de rug, houdt de demonen in de gaten en zorgt ervoor ik niet onverwachts van achteren wordt besprongen.

De barrière begint te bezwijken. Elke vuurbal die tegen het energieveld aan knalt knettert heviger en langduriger. Nog een paar en ze is aan ons overgeleverd.

'Meester!' schreeuwt Juni. 'Help me. Ik heb meer tijd nodig!'

Een scheurend geluid. Bill-E schreeuwt een waarschuwing. 'Grubbs! Kijk uit! Hij is –'

Arterie komt op mijn rug neer en ik wankel. Voordat ik me kan omkeren om me met het hellekind te bemoeien, heeft Derwisj zijn benen gegrepen, hem weggeslingerd en zijn hoofd tegen een laaghangende stalactiet gebeukt. De schedel splijt in het midden en de hersenen puilen eruit. De luizen vallen van het hoofd van de hellebaby en krioelen over de grond. Derwisj slingert de demon een paar keer boven zijn hoofd rond en smijt hem dan de grot door. Met een doffe dreun komt hij aan de andere kant tegen de rotswand aan en stort omlaag. Arterie zal gewoon weer opstaan, maar het zal een minuut of twee duren. Dat moet genoeg zijn.

'Meester!' schreeuwt Juni weer. Ze gooit haar hulp-kreet tussen de woorden van de bezwering door. Haar echte gezicht ziet er veel minder indrukwekkend uit dan het gezicht dat ze liet zien toen ze deed alsof ze onze vriendin was. Het draagt de sporen van angst en een vals karakter. 'Nog één minuut. Meer heb ik niet nodig.'

Lord Loss huilt harder dan een wolf ooit zal kunnen huilen. Hij laat Beranabus met tegenzin los en smijt hem aan de kant. Met een zoevend geluid komt hij op me af.

'Grubbs!' roept Derwisj.

'Nog één tel,' mompel ik, terwijl ik richt en mijn laatste energiebal afvuur. Hij raakt de barrière met het geluid van een geweerschot, breekt er dan door-heen en treft Juni, die tegen de vlakte gaat.

Ik wil juichen, maar voordat ik mijn mond heb kunnen opendoen, word ik overvallen door een hart-grondig vloekende Lord Loss, die zijn acht armen om mijn mond en keel slaat. Hij knijpt en scheurt en wil me tegelijkertijd wurgen en aan stukken rijten.

Naar adem snakkend grijp ik twee van zijn armen beet, concentreer me op mijn magie en trek uit alle macht. De armen schieten uit de kom. Lord Loss jam-mert en probeert ze weer terug te duwen, maar voor-dat hij daarin slaagt schiet ik vuur langs de ledema-ten omhoog en branden ze tot op het bot weg.

Derwisj komt me te hulp. 'Nee!' schreeuw ik. Mijn voeten bungelen een paar centimeter boven de grond doordat Lord Loss me tegen zijn borst heeft geklemd, waar de slangen met elkaar vechten om mijn ogen te mogen uitbijten. 'Dood Juni! Het lukt me wel om...'

De demonenmeester slaagt erin een paar gemangelde, met gezwellen bedekte, bloederige vingers in mijn mond te persen. Ze worden langer en groeien mijn keel in. Vanuit mijn ooghoek zie ik Derwisj aarzelen. Zijn instinct zegt hem dat hij mij moet helpen. Maar dan ziet hij Juni overeind krabbelen en doorgaan met de bezwering. Luid vloekend stormt hij op haar af.

Ik bijt de vingers af en spuug ze uit. De kreet van de Grootmeester van het Kwaad klinkt me als muziek in de oren. Een van de slangetjes zet zijn tanden in mijn kale schedel en rukt een stuk vlees los. Ik graai de slang uit zijn harteloze thuis en bijt zijn kop af. Ik begin plezier te krijgen in dit bijtfestijn.

De zes overgebleven armen van Lord Loss klemmen zich rond mijn lichaam. Ik voel de ribben kraken en ik kreun. Als de demon deze druk blijft uitoefenen, zullen de botten breken en mijn hart en longen doorboren, en dat betekent voor mij het eind. Maar dat maakt niet uit. Ik ben tijd aan het rekken voor Derwisj. Juni stoppen is de enige reden dat ik hier ben, dat ik leef. Als ik moet sterven om haar boze plannen te verijdelen, jammer dan. Ik offer er mijn leven met alle genoegen voor op.

Maar voordat ik op edelmoedige wijze kan sterven, komt Beranabus stommelend in actie. Hij raapt een steen op, laadt hem op met magie en slingert hem naar Lord Loss' hoofd. De steen doorboort het vlees en de botten van de demonenmeester en blijft uiteindelijk halverwege de schedel van het monster steken, vlak boven zijn linkeroor.

Lord Loss krijst het uit van pijn en razernij. Dan

draait hij zich om en gooit me naar Beranabus. Met een doffe dreun raak ik de tovenaar en we vallen languit op de grond. Lord Loss rent op ons af, maar dan herinnert hij zich Juni. Hij aarzelt en kijkt over zijn schouder. Juni is met Derwisj aan het worstelen en roept zelfs onder het vechten nog de woorden van de bezwering. Derwisj raakt haar hard, huilend, met zijn handen in elkaar geklemd als een voorhamer. Juni's pokdalige fletse gezicht is tot moes geslagen. Haar haren en huid zitten onder het bloed en haar ogen zijn nauwelijks nog zichtbaar achter het tot een brij gebeukte vlees.

Wanneer Lord Loss haar te hulp schiet, stopt ze met chanten en kijkt ze Derwisj glimlachend aan. Er gaat een rimpeling door haar huid, hij verandert van kleur en ze ziet er weer uit als de oude Juni Swan, alleen dan toegetakeld en bloedend. 'Derwisj, liefste,' zegt ze zwaar ademend. 'Hou alsjeblieft op. Je doet die arme Juni pijn.'

'Je hebt ons verraden!' brult Derwisj en de tranen stromen nog harder over zijn wangen.

'Ik heb een fout gemaakt,' mummelt Juni. 'Ik hou van je, Derwisj. Doe me alsjeblieft geen pijn. Als je me de kans geeft zal ik alles rechtzetten.'

Derwisj staart haar aan. Zijn handen vallen langs zijn lichaam, zijn schouders zakken omlaag en de woede stroomt uit hem weg. Hij doet een stap naar voren. Ik denk dat hij haar wil omhelzen. Het maakt me bang, maar lang niet zo erg als wat ik opeens boven onze hoofden zie gebeuren – de rots rond de scheur is gaan pulseren! In de diepte wordt een schijnsel zichtbaar. En de scheur wordt steeds wijder.

'Derwisj!' schreeuw ik. 'Ze is klaar met de bezwering. De demonen komen eraan. Je moet haar doden!'

Derwisj blijft staan, maar brengt zijn handen niet samen. Wanhopig stort Beranabus zich naar voren. Lord Loss grijpt hem beet en lacht.

Rennende voetstappen achter me. Ik draai me om en zie Arterie springen, drie stel woest blikkerende scherpe tanden. Ik hef mijn armen – te laat. De demon raakt me met zijn kleine voetjes midden op mijn borst. Ik vlieg de grot door en smak tegen de rotsen achter de waterval. Sputterend en verkleumd kom ik overeind. Mijn bladerpak is doorweekt en valt uit elkaar. Door de waterval zie of hoor ik niet wat er in de grot gebeurt.

Terwijl ik uit het water kom, springt Arterie op me af. Hij neemt een aanloop om me nog een keer te trappen, maar dit keer grijp ik hem bij zijn kinderlijf en houd hem op armslengte omhoog. Ik probeer de kracht te vinden om hem te doden, maar ik ben te uitgeput en ontmoedigd. Vermoeid kijk ik om me heen, op zoek naar hulp of inspiratie.

Kernel bevindt zich nog steeds aan de rand van het gebeuren. Het lukt hem niet Spine te doden en slechts met moeite weet hij de demon op de stalagmiet te houden. Lord Loss gaat genadeloos tegen Beranabus tekeer, hij heeft zijn armen strak om het lichaam van zijn tegenstander geslagen, en de slangetjes zijn actiever dan ooit. De demonenmeester lacht triomfantelijk, zeker van zijn overwinning. De scheur in de rots beweegt steeds sneller, de kleuren en schakeringen van het licht veranderen voortdurend, de opening wordt steeds groter, wijder, langer. Vanuit het niets waait er een magische wind door de grot. Ik voel hem langs me strijken, naar het gat. Eerst is het een zachte luchtstroom, maar dan wordt hij krachtiger en sleurt aarde en gruis mee naar de scheur. Bill-E voelt het naderende onheil en schuifelt jammerend weg van de scheur.

En precies onder de scheur – die weldra de entree zal zijn voor honderden demonen – is Juni Derwisj aan het zoenen. Haar stralend witte haar staat alle kanten uit en deint op en neer op de steeds sterker wordende wind.

'Liefje van me,' kirt ze. Ze doet een stapje naar achteren en haar roze ogen glinsteren kwaadaardig. Ze streelt zijn wangen, glimlacht verleidelijk en zoent hem dan weer. Derwisj staat er bewegingsloos bij, gehypnotiseerd, betoverd. Ze legt haar hoofd op zijn schouder en mompelt tegen zijn keel: 'Je zou je Juni nooit een haar kunnen krenken. Je houdt van me, net zoals ik van jou hou. Wat een bruutheid, om me zo te slaan. Maar ik vergeef het je. Ik hou te veel van je om wrok te koesteren.'

Haar nephuid is alweer genezen en is zo zacht en wit als daarvoor, op een paar vegen bloed na. Ze ziet er prachtig uit. Het is vreemd, maar onverholen kwaadaardigheid past bij haar. Ze is nu veel mooier dan toen ze deed alsof ze goed was.

Ik probeer een waarschuwing te schreeuwen, maar ik heb de kracht er niet voor. Arterie op afstand houden slokt al mijn energie op.

'Als dit voorbij is, neem ik je mee naar het universum van de Demonata,' belooft Juni Derwisj. 'Uiteindelijk zul je gedood moeten worden, maar daar is geen haast bij. Ik zal je zulke wonderbaarlijke dingen laten zien en zo lief voor je zijn, dat de dood je niet meer kan schelen. Je zult zelfs graag sterven, om mij een plezier te doen. Nietwaar, mijn liefste?'

Derwisj staart haar uitdrukkingsloos aan.

Dan begint Bill-E te schreeuwen. 'Derwisj! Ik ben bang.'

Juni lacht. 'Maak je maar geen zorgen, Billy onbenul. Ik ben je niet vergeten. Hoe zou ik jou kunnen vergeten? Je bent de belangrijkste...'

Derwisj grijpt Juni bij haar pols en tilt haar als een veertje op.

'Nee!' krijst ze. Ze haalt naar hem uit, maar hij houdt haar zo vast dat ze hem niet kan raken.

Derwisj stormt weg van de pulserende rots, worstelend tegen de wind in. Juni steekt haar armen in de lucht, op zoek naar magie. Ze begint een nieuwe bezwering te prevelen. Lord Loss slaakt gealarmeerd een kreet en springt weg van Beranabus.

Maar Derwisj is hen beiden te snel af. Hij kijkt om zich heen. Hij doet een paar stappen naar rechts en houdt Juni hoog boven zijn hoofd. Dan gooit hij haar met al zijn kracht boven op een kleine stalagmiet.

De punt doorboort Juni's huid en glijdt door het vlees aan de achterkant van haar lichaam heen – en komt een seconde later weer aan de voorkant tevoorschijn. Derwisj schreeuwt het uit en wankelt naar achteren. Verwonderd en vol ongeloof staart hij Juni aan, terwijl het bloed naar buiten gutst en haar armen en benen wild tekeergaan, alsof hij niet weet hoe ze daar terecht is gekomen.

'Mijn zwaantje,' jammert Lord Loss, terwijl hij naar haar toe rent.

'Meester…' kreunt Juni, met een mond vol bloed. 'Help… me.'

Lord Loss heft zijn handen, houdt dan stil en bestudeert de wond. Hij schudt zijn hoofd zacht, treurig. 'Ik kan je niet helpen,' zegt hij.

Juni staart hem ongelovig aan. Dan licht haar gezicht op. 'Ik begrijp het. Dank u, meester. Voor… alles wat u me heeft laten zien… alles wat u voor me heeft gedaan… schenk ik u mijn eeuwige dankbaarheid… en liefde.'

Lord Loss strekt een enkele arm uit en streelt met zijn klamme vingers Juni's wang. Hij glimlacht verdrietig, maar het is niet zijn gebruikelijke spottende grijns – deze glimlach is bijna menselijk. 'Ik zal je missen,' mompelt hij.

'En ik…' Er gaat een schok door Juni heen en haar ogen sperren zich open. 'De dood,' hijgt ze. 'Hij is hier. Ik voel hem. Ik… nee! Laat hem me niet meenemen, meester! Ik wil vrij zijn. Laat hem niet…'

Ze stopt. Haar mond beweegt niet meer en ogen verstarren. Lord Loss buigt zich voorover, kust haar voorhoofd en zweeft dan een paar passen achteruit. 'Vaarwel, lieve zwaan,' mompelt hij en op dat moment weet ik zeker dat ze dood is. Maar pas wanneer Beranabus zacht begint te grinniken dringt het tot me door wat dat betekent.

De sleutel is uit de weg geruimd… De tunnel kan niet worden geopend… *We hebben gewonnen!*

... en afgronddiep

De roes van de felbevochten overwinning duurt twee seconden. Misschien drie. Dan dringt het tot me door: de rotsen in en rond de scheur pulseren nog steeds. De lichten flitsen feller dan in de disco. De wind zwelt nog steeds aan.

'Beranabus!'schreeuw ik. 'Waarom stopt het niet?'

'Het stopt wel,' mompelt hij, terwijl hij onzeker naar de scheur staart. 'Dat kan niet anders. We hebben haar gedood. Maar soms duurt het even voordat een lichaam echt gestorven is, voordat alle zintuigen ermee stoppen. Zodra het laatste beetje leven uit haar is, houdt het wel op.'

'Maar als de demonen eerder oversteken...'

Beranabus haalt zijn schouders op en krimpt dan ineen. Hij strekt zijn armen naar achter om het gewonde vlees tussen zijn schouderbladen te helen. Zijn ogen en huid zijn weer normaal. Hij ziet eruit als een oude, vermoeide man en niet als een machtig tovenaar. 'Wellicht glippen er een paar tussendoor, maar het kunnen er nooit veel zijn. We zullen gewoon moeten zorgen dat –'

'Stelletje idioten,' snuift Lord Loss. Hij kijkt Beranabus dreigend aan, en vervolgens Derwisj, die vlak bij Juni ligt. Haar gezicht heeft zijn glamour verloren en zijn gewone gedaante weer aangenomen, gehavend en bebloed door de afranseling die ze heeft gekregen. Derwisj staart haar met een mengeling van afschuw en leed aan. 'Denk je nu echt dat je ons verslagen hebt? Denk je nu echt dat wij zo makkelijk ten onder gaan? Je bent een arrogante en onnozele oude man, Beranabus. Dat krijg je met al die halfslachtige overwinninkjes op de mindere demonen. Juni's dood zal die armzalige wereld van jullie niet redden, en jullie levens ook niet. Haar dood sterkt me slechts in mijn voornemen jou en de bespottelijke Grady's een langzame en uiterst pijnlijke dood te laten sterven.'

'We hadden het mis!' brul ik. 'Juni was de sleutel niet. Het is een van de demonen.' Ik draai me om en probeer uit te maken of het Arterie of Spine is.

'Onmogelijk,' hijgt Beranabus en hij komt moeizaam overeind. 'Zo werkt het niet, en we hebben ze alle twee in de toekomst gezien.'

'Dus dan had ik toch gelijk,' sist Lord Loss. 'Jullie zijn terug in de tijd gereisd!' Hij kijkt Beranabus vol ontzag aan. 'Hoe heb je dat gedaan? Ik heb altijd gedacht dat dát onmogelijk was, de grote uitzondering. Hoe...'

'Beranabus,' onderbreek ik hem. 'We moeten ze doden, voordat de Demonata...'

'Maar zij zijn het niet,' houdt Beranabus vol. 'We hebben ze gezíen.'

'Dan iemand anders!' brul ik. 'Een andere menselijke assistent, iemand die onzichtbaar is gemaakt, met magie is verborgen. We moeten hem vinden... haar vinden, weet ik veel!'

Beranabus knikt en stommelt weg om de grot

koortsachtig met magie en zijn ogen te doorzoeken. Ik loop de andere kant uit en doe hetzelfde.

'Grubbs,' kreunt Bill-E. Hij komt naar me toe gekropen, de wind rukt aan zijn kleren, zijn haren wapperen alle kanten uit en de scheur dreigt hem te verzwelgen.

'Nu niet. Derwisj!' Mijn oom reageert niet. 'Derwisj!' schreeuw ik. Hij knippert met zijn ogen en kijkt op. 'De sleutel is nog in leven. Het was Juni niet. We moeten degene zien te vinden die het offer heeft gebracht. Anders zal de tunnel…'

'Grubbs,' kreunt Bill-E opnieuw.

'Hou op met je gezeur!' roep ik. Dan buk ik me om hem aan te kijken. 'Sorry, maar er is nu geen tijd voor. Als we degene die het offer heeft gebracht niet snel vinden, dan versmelt die persoon met de rots en kunnen de demonen met z'n allen de tunnel door om iedereen te doden.'

Ik kom overeind. Bill-E grijpt de doorweekte, verfomfaaide linkerpijp van mijn geïmproviseerde broek. Ik vloek en schop zijn hand los. Ik draai me om om verder te gaan zoeken, wanneer hij iets fluistert, te zacht om de woorden te verstaan. Bijna loop ik weg, maar iets in zijn gefluister dwingt me te blijven staan.

'Wat zei je?' schreeuw ik zonder omlaag te kijken. Met mijn ogen probeer ik door te dringen in de schaduwen van de grot. Het kijken wordt bemoeilijkt door het licht in de scheur dat steeds feller oplicht en steeds sneller van kleur verandert. Bill-E herhaalt zijn woorden, maar weer te zacht om mijn oren te bereiken. 'Praat wat harder, verdomme. Ik heb geen tijd voor…'

'Ik denk dat ik misschien de sleutel ben,' zegt Bill-E met krakende stem.

En voor de tweede keer in een uur lijkt het einde van de wereld te zijn aangebroken.

Ik staar Bill-E sprakeloos aan. Ik moet het verkeerd hebben gehoord. En als ik hem goed heb verstaan, smeek ik dat ik het verkeerd heb begrepen. 'Wat zei je?' vraag ik naar adem happend.

'Ik denk... Het was niet met opzet... Ik weet het niet zeker... maar...'

Hij was niet een van de doden, mompelt een stem in mijn hoofd. *In de toekomst, toen je het gat in keek, zag je geen Bill-E. Derwisj was er, Reni, de meeste andere mensen om wie je gaf. Maar niet je broer.*

'O jee,' grinnikt Lord Loss, terwijl hij met een kwaadaardige grijnslach op zijn gezicht een eindje weg zweeft. 'Het heeft even geduurd, maar uiteindelijk valt het pijnlijke muntje.'

'Nee,' hijg ik en de klank wordt door de wind van mijn lippen geblazen. 'Dat kan niet waar zijn.'

'Grubbs?' zegt Derwisj, die de angst op mijn gezicht ziet.

'Grubbs!' brult Beranabus. Hij is een heel eind weg. Hij ziet niet wat er gaande is. 'In de benen, jongen. We moeten de moordenaar vinden. We hebben niet veel tijd meer.'

'Maar je hebt hem al gevonden, nietwaar, Grubitsch?' zegt Lord Loss pesterig.

'Je liegt,' snauw ik hem toe.

Lord Loss schudt zijn hoofd. 'Ik lieg nooit.'

Bill-E valt plat op zijn buik en glijdt naar de scheur.

Derwisj grijpt hem bij zijn benen en houdt hem stevig vast. Ik negeer het lachen van Lord Loss en de demonische wind en kruip naar hem toe. Ik hoor het gekrijs en gekwetter van andere demonen afkomstig uit een universum dat niet het onze is. Ik sluit me ervoor af en concentreer me op Bill-E. Hij is panisch van angst. Ik glimlach naar hem. Het is een flauwe glimlach, maar toch voelt hij zich erdoor gesteund en ondanks zijn doodsangst begint hij te praten.

'Het was Loch,' mompelt hij. 'Ik haatte het hoe hij me pestte, me voordurend het gevoel gaf dat ik klein was en niets betekende. Hij was een treiterkop. Je had het voor me moeten opnemen, Grubbs. Je bent mijn grote broer.'

'Ik wilde niet de kastanjes voor je uit het vuur halen.' Ik denk dat ik weet wat hij me gaat vertellen en ik wil huilen, maar de tranen willen niet komen. Ik kan ze niet dwingen.

'Altijd pesten,' zegt Bill-E bitter. 'Me voor gek zetten. Alles aangrijpen om lullige opmerkingen te maken. Op de dag dat we de grot ontdekten... Jij was ziek... Loch en ik klommen langs de rotswand omhoog op zoek naar de schat van Lord Sheftree...'

Het lijkt wel een eeuwigheid geleden. Hebben we echt ooit zulke leuke, onschuldige spelletjes gespeeld? Was er echt ooit een tijd dat we ons druk maakten om een begraven schat, dat gepest worden op school onze grootste zorg was? Of hebben we het allemaal gedroomd?

'Ik zag een mogelijkheid om het hem betaald te zetten,' vervolgt Bill-E en zijn stem breekt. 'We waren bijna boven aan de waterval. Hij gleed uit en greep zich aan de rotsen vast. Hij hing aan zijn vingertoppen. Ik stak mijn hand uit. Hij greep ernaar. En toen... ik... toen heb ik mijn hand weggetrokken!'

Bill-E en ik kijken elkaar aan. We begrijpen alle twee wat hij bedoelt. Derwisj niet. Hij heeft nooit gezien hoe Loch op school precies hetzelfde met Bill-E deed en hem in het bijzijn van iedereen voor paal zette. Derwisj kijkt ons aan alsof we gek zijn geworden.

'Ik trok mijn hand weg,' zegt Bill-E dof. 'Zette mijn hand op mijn neus. Zei: "*Touché*, eikel!" Ik stak mijn tong uit. Het was niet de bedoeling dat hij zou vallen. Ik wilde hem gewoon op zijn nummer zetten. Maar hij verloor zijn greep. Hij viel voordat ik hem kon helpen. Zijn hoofd klapte tegen de grond. Zijn schedel barstte open. Hij...'

Bill-E stopt. Zijn gezicht is lijkbleek. Hij trilt. De wind rukt woest aan hem. Veel woester dan aan mij, Derwisj of een van de anderen in de grot.

'Nee,' zeg ik kalm. 'Je hebt hem niet gedood. Het was geen offer. Jij bent de sleutel niet.' Maar ik weet dat het niet waar is. Hoe hard ik het ook ontken, ik wéét het.

'Grubbs,' hijgt Derwisj. 'Wat zeg je allemaal? Wat heeft dat te betekenen? Ben je gek geworden? Denk je dat Billy dit heeft veroorzaakt?'

'Nee,' lieg ik. 'Natuurlijk niet.' Maar ondertussen pas ik in gedachten de puzzelstukjes in elkaar. Lochs dood – geen ongeluk. Zijn bloed dat in de rotsvloer verdween. Ik was het vergeten, maar nu herinner ik het me weer, de kale rotsen, mezelf afvragend waar het bloed was gebleven. Nu weet ik het – het was opgezogen door de magie. Als offerbloed, ook al was het zo niet bedoeld.

Bill-E als schuldige. In de striktste zin van het woord heeft hij Loch Gossel gedood en de magie van deze grot stelt hem aansprakelijk. Ik had het eerder moeten zien. Nadat Beranabus was gearriveerd had hij de grot nauwlettend in de gaten gehouden. Hij snapte niet hoe Juni toch naar binnen was geglipt om een offer te brengen. Hij heeft Bill-E nooit verdacht. Hij geloofde me op mijn woord toen ik zei dat we alleen waren en dat Loch per ongeluk was gestorven.

Voor de demonen was het een makkie geweest. Ze hoefden niet een van hun eigen magiërs te doden of zelfs maar de grot te betreden met als risico dat Beranabus werd gealarmeerd. Een gouden deal. Het offer was al gebracht. Lord Loss en Juni hoefden alleen nog maar een paar weken later de juiste bezwering uit te spreken en te zorgen dat de moordenaar aanwezig was.

Ze wisten alleen niet wie de moordenaar was. Ze dachten dat ik het was, dat het beest of de magie me tot moorden had aangezet. Daarom stuurde Juni me de nacht dat ik veranderde naar de grot, daarom nam ze mijn bloed en smeerde het langs de randen van de scheur. Toen daar niet de gewenste reactie op volgde, besefte ze dat Bill-E de schuldige moest zijn. En dus haastte Juni zich naar zijn huis om hem op te halen. Het was niets persoonlijks. Geen wraak. Lord Loss wilde Bill-E zuiver om zakelijke redenen. En het was nooit zijn bedoeling hem te doden. Hij had andere plannen met de jongste Grady.

De wind zwelt aan. Derwisj moet zich schrap zetten om Bill-E tegen te houden. Paniekerig kijkt hij me aan. 'Grubbs! Wat moeten we doen?'

Ik begrijp dat het ook tot hem is doorgedrongen, dat hij weet wat er moet gebeuren. Hij wil het alleen niet toegeven, want daarmee komt de last op zijn schouders te liggen. Hij wil de verantwoordelijkheid niet. Jammer dan – ik ook niet.

'Bill-E is de sleutel,' laat ik hem weten.

'Nee,' protesteert Derwisj, maar zijn protest klinkt zwakjes, niet overtuigend.

'Grubbs,' schreeuwt Beranabus. 'Ik hoor ze komen. Wat ben je in hemelsnaam aan het...'

'Bill-E is de sleutel!' schreeuw ik terug en Beranabus gaapt me aan. 'Hij heeft het offer gebracht. Het was niet zijn bedoeling. Het was een ongeluk. Maar...'

'Je weet niet wat je zegt,' sist Derwisj me toe.

Ik kijk hem ongelukkig aan. 'Dat weet ik wél.'

'Wat is er aan de hand?' mompelt Bill-E, terwijl hij ons om beurten aankijkt. 'Dit is toch goed nieuws? Nu we het weten, kunnen we toch een bezwering uitspreken om het te stoppen, ja toch? Of... had ik mijn grote mond... moeten houden?'

'Nee,' zeg ik glimlachend. 'Je hebt het helemaal goed gedaan. Alles komt nu in orde. We kunnen de demonen tegenhouden. Je bent een held. Je hebt ons laten zien hoe we kunnen winnen.'

Bill-E straalt van trots. Derwisj kijkt me ontzet aan, hij trilt en grijpt zijn mollige neef steviger vast. Ik wend me wanhopig tot Beranabus en laat de glimlach pas van mijn gezicht verdwijnen wanneer ik me helemaal heb omgedraaid, zodat Bill-E de angst in mijn ogen niet ziet. 'Is er geen andere manier?' roep ik.

'Nee,' antwoordt Beranabus, zonder enig medeleven in zijn stem, alleen maar vastberadenheid. Hij komt door de grot aanlopen, zijn vingers strekkend en buigend. Hij heeft nog geen vier stappen gezet, of Lord Loss verspert hem de weg en vuurt zijn magie op hem af, zodat hij wordt gedwongen een paar stappen terug te doen.

'Nee, nee, nee, Beranabus,' kirt de demonenmeester. 'Dit fascinerende tafereel ga ik niet door jou laten verpesten. Dit is eersteklas vermaak. Oom en broer moeten kiezen op welke van de twee hoorns van dit duivelse dilemma ze gespietst willen worden. Wat verschrikkelijk amusant!'

Beranabus probeert de aanval met een van zijn eigen magische bliksemflitsen te beantwoorden, maar Lord Loss is hem voor. Aan het eind van zijn krachten gekomen stort de tovenaar neer, zijn afweer verbrokkeld.

De wind heeft stormkracht bereikt. Bill-E's voeten gaan de lucht in. Derwisj zal hem niet veel langer kunnen vasthouden. Nog een minuut, hooguit, en dan zal Bill-E in de scheur worden gezogen, dan versmelt zijn lichaam met de rots en wordt hij een levende tunnel tussen dit universum en dat van de Demonata.

'Derwisj!' gil ik.

'Ik kan het niet.'

'Maar de demonen...'

'Ik weet het. Maar ik kan het niet.' Tegen de storm in worstelend trekt hij Bill-E tegen zijn borst aan en slaat zijn armen om hem heen. De tranen rollen over zijn wangen.

'Grubbs,' gromt Bill-E en met een ruk bevrijdt hij zijn hoofd uit de omhelzing. 'Wat gebeurt er? Wat moeten we doen?'

Ik negeer zijn vraag. 'Derwisj,' zeg ik vastberaden. 'Als jij het niet doet, gaan we allemaal dood. Gaat iedereen dood. Bill-E ook. We kunnen hem niet redden.'

'Doe jij het dan maar,' zegt hij uitdagend.

'Nee. Hij is mijn broer.'

'Wát doen?' jammert Bill-E terwijl Derwisj en ik elkaar dreigend aankijken.

Dan kruipt Derwisj' rechterhand omhoog langs Bill-E's rug. De hand stopt bij Bill-E's nek, de vingers spreiden zich en grijpen het vlees stevig beet. Derwisj heeft het oogcontact met me niet verbroken. Ik huil, ik kan mijn tranen niet meer bedwingen. Bill-E snapt niet wat er gebeurt. Hij kijkt me met gefronst voorhoofd aan en probeert er wijs uit te worden. Ik hoop dat het hem niet lukt. Het is beter als hij het nooit te weten komt, als Derwisj het zo snel doet dat het als een plotselinge verrassing komt.

Derwisj houdt zijn rechterhand op zijn plek en beweegt dan zijn linker omhoog. Ik weet niet of hij van plan is Bill-E te wurgen of zijn nek te breken. En ik zal het nooit weten ook, want zijn vingers stoppen halverwege Bill-E's rug.

'Ik kan het niet,' zegt Derwisj zacht, en deze keer klinkt het als de bekentenis van een gebroken man.

'Ik wist het!' roept Lord Loss lachend uit. 'Mensen zijn zo voorspelbaar. Je kunt jezelf er niet toe zetten je dierbare neefje iets aan te doen, ook al betekent het dat al het andere ten onder gaat. Je verdoemt jezelf, hem en de hele wereld, alleen maar vanwege wat misplaatste liefde.' Hij zucht gelukzalig. 'Dergelijke momenten maken de lange en eentonige millennia weer helemaal goed.'

Derwisj kreunt en drukt Bill-E tegen zich aan, om hem zo lang mogelijk te omhelzen, misschien wel om met hem de scheur in gezogen te worden, zodat ze samen hun dood tegemoet kunnen gaan. Maar Bill-E zal niet sterven. Hij zal iets afschuwelijks verwrongens worden, iets onmenselijks, beestachtigs.

Ik denk aan wat Bill-E te wachten staat, gevangen in de rots, tot in de eeuwigheid hier beneden in leven gehouden, een en al schuldgevoel, een speeltje van de Demonata wanneer alle andere mensen afgeslacht zullen zijn. Ze zullen hem folteren. Het schuldgevoel zal hem verteren. Gekte zal zijn enige uitweg zijn, maar de demonenmeesters zullen hun magie gebruiken om hem weer bij zinnen te brengen, om hem opnieuw te kunnen folteren. Een eeuwigheid van ellende, gekte en leed.

Ik kan dat niet laten gebeuren.

Toen ik de grot in ging, wist ik dat ik Derwisj en Bill-E niet zou kunnen doden, stel dat ze zich bij Lord Loss hadden aangesloten, zelfs niet om de wereld te redden. Ik kan het nog steeds niet. Maar om Bill-E te redden van een lot dat veel erger is dan de dood... in het belang van mijn broer... in plaats van het belang van miljarden anderen die niets voor me betekenen...

'Bill-E.' Ik leun voorover en glimlach. 'Zullen we

die demonengriezels eens een ongenadig pak slaag geven?'

Bill-E glimlacht terug. 'Zo mag ik het horen! Wat moeten doen?'

'Grubbs,' kreunt Derwisj.

'Hou je kop,' snauw ik hem toe en dan kijk ik Bill-E weer glimlachend aan. 'Pak mijn handen beet, broertje. Sluit je ogen. Concentreer je op...' Ik slik moeizaam. '... je moeder. Denk aan je moeder.'

'Wat heeft dat voor nut?' vraagt hij met twijfel in zijn stem.

'Dat verdrijft de kwade gedachten en de angst uit je hoofd,' verzin ik ter plekke. 'Ik heb je hulp nodig om dit te laten stoppen. Maar dat gaat alleen als je rustig bent. Het zal niet makkelijk zijn, maar je moet het proberen. Denk aan je moeder en alle goede herinneringen die je aan haar hebt. Daardoor ontstaat er een positieve energie die ik kan gebruiken om de demonen te stoppen.'

'Briljant!' Bill-E hapt naar adem en zijn gezicht klaart op. Hij steekt zijn handen uit, sluit zijn ogen en concentreert zich. Zijn oogbollen rollen achter zijn trillende oogleden heen en weer, op zoek naar dierbare momenten. Hij vertrouwt me volkomen.

Lord Loss zweeft dichterbij. Hij zou me kunnen tegenhouden, me kunnen doden of hinderen, maar hij kijkt gehypnotiseerd toe. Zijn missie, het creëren van allesverslindende chaos, is hij vergeten. Hij leeft slechts voor de bitterzoete pijn van het moment. Derwisj heeft zijn hoofd op Bill-E's schouder laten zakken en zijn blik afgewend. Beranabus, Kernel, Spine en Arterie zijn nergens te zien. Het maakt me niet uit.

Bill-E en ik zijn nu alleen op de wereld. Wij zijn de enigen die ertoe doen.

Ik laat de magie in me aanzwellen en maak aanstalten om Bill-E's handen beet te pakken. Ik stop. Een moment van twijfel en ongeloof. *Ik kan dit niet!* Dan kijk ik over Bill-E's hoofd heen. Ik zie klauwen uit de scheur komen. Een immense, schaduwachtige wolk van een gezicht, van louter kwaad. Een wolk van alle soorten duisternis die je je maar kunt voorstellen. Hij vult de hele scheur op. Ik weet niet wat het is – geen gewone demon, dat is duidelijk – maar ik weet wel dat het bestaat om te vernietigen, en als niemand het tegenhoudt dat zal doen ook.

'Ik hou van je Bill-E,' fluister ik en mijn hart breekt. Dan pak ik zijn handen beet.

De magie stroomt vanuit mijn lichaam mijn broer in. Zachte, warme, aangename energie. Zijn glimlach verbreedt zich langzaam door de warmte van de magie of een extra prettige herinnering. Misschien wel beide. Het schaduwengezicht in de scheur splijt van haat. Het sist – het geluid van een zee die droogkookt. Tentakels van duisternis schieten op me af, talloze kronkelende slangen, om me van mijn broer los te rukken, ons voor altijd te scheiden, om Bill-E voor hun eigen kwaadaardige doeleinden te gebruiken.

'Tijd om ervandoor te gaan, broertje van me,' snik ik en ik geef een snelle duw. De energie raakt Bill-E's hart en doet het onmiddellijk stilstaan. Geen pijn. Bill-E's glimlach bevriest ter plekke. De tentakels van duisternis spatten uiteen. Met een uitzinnig, hatelijk gebrul lost het schaduwengezicht op. Gekrijs vanuit de scheur van hordes bedrogen demonen. De wind valt stil en het gehuil maakt plaats voor het knarsende geluid van rotsen die langs elkaar schuren, terwijl de scheur zich langzaam sluit. De kreten zwellen even aan en sterven dan weg.

Het is voorbij.

Ik leun naar voren en druk mijn lippen tegen het voorhoofd van mijn dode broer. Ik kus hem en mijn tranen vallen op zijn nog warme lichaam. Dan neem ik hem en Derwisj in een stevige omhelzing en smeek in stilte dat Lord Loss me een snelle dood bezorgt, voordat dit afschuwelijke, mijn ziel verterende verdriet me van mijn verstand berooft.

Lege huls

Het gegrom komt dichterbij, trippelende voetjes en klapperende scherpe tandjes – Arterie. Ik knijp mijn ogen dicht en wacht roerloos op het demonenkind.

'Stop,' beveelt Lord Loss. 'Hier komen.'

Met tegenzin open ik mijn ogen en ik kijk op. Het gezicht van de Grootmeester van het Kwaad straalt van trieste voldoening. Met een kwade blik schaart Arterie zich aan de zijde van zijn meester. Achter hem zie ik Beranabus, hij ziet er oud en fragiel uit, maar wel triomfantelijk. Kernel is nog steeds in gevecht verwikkeld met Spine.

Derwisj legt zijn oor op Bill-E's borst. Hij luistert een paar seconden en richt zich dan op. Zijn ogen zijn die van een gekweld man. 'Hij is –'

'Hou je mond,' snik ik voordat hij zijn zin kan afmaken. En dan, zachter: 'Ik moest wel. Niet om de Demonata te stoppen, maar voor hem zelf. Hij zou erger hebben geleden dan wie van ons ook. Ze hadden hem gebruikt. Hij had niet kunnen sterven. Hij zou hier beneden hebben vastgezeten, gefolterd door demonen, in de wetenschap dat hij onze wereld aan hen had uitgeleverd. Dat kon ik niet laten gebeuren. Als het anders had gekund...'

Derwisj pakt mijn linkerhand en knijpt er gerust-
stellend in. De tranen rollen over onze wangen.

'Heerlijk,' mompelt Lord Loss, die zich verlustigt
in ons leed. 'Ik wilde dat dit moment eeuwig kon blijven duren. Het was het dwarsbomen van onze plannen waard. Mijn broeders zullen een andere keer
doorbreken. Deze wereld kan niet veel langer stand
houden tegen de Demonata. Er is een kracht in werking getreden die niet kan worden teruggedraaid. Dat
is ook de reden van mijn toewijding aan het nobele
doel der destructie, hoezeer ik ook geniet van het onophoudelijke lijden van de mensheid. Als ik me had
verzet, had het er misschien slecht voor me uitgezien.
Maar dit is het beste van beide universums. Jullie hebben me vanavond een grote dienst bewezen. Ik zou
jullie bijna in leven laten… maar er zijn rekeningen
te vereffenen. Nog een paar minuten genieten van jullie leed en dan zal ik mijn reeds veel te lang uitge-
stelde vergelding ten uitvoer brengen.'

'Ja, ja,' mompel ik afwezig en ik strijk het haar uit
Bill-E's ogen. De dreigingen van de demonenmeester
laten me koud. Alles laat me koud, behalve het feit
dat ik mijn broer heb gedood en dat ik nooit meer
van het leven zal kunnen genieten. Hoe eerder ik sterf
hoe beter.

Maar een deel van me laat het niet koud. Het reageert op de woorden van Lord Loss. Energie stroomt
door mijn armen naar mijn handen. Ik roep de energie terug, maar tevergeefs. Het is een vreemd soort
energie, anders dan de magie die ik heb gebruikt om
de demonen te bevechten (*of Bill-E te doden*). Deze
lijkt meer op de kracht die ik voelde toen alles ver-

loren leek, toen ik de wetten van de tijd verstoorde en...

'We kunnen terug!' hijg ik en ik spring overeind. 'We kunnen weer terug in de tijd reizen en Bill-E redden!'

Lord Loss sist, mijn woorden staan hem niet aan. Hij tilt zijn zes overgebleven armen op en zweeft dichterbij. Ik lach hysterisch, hef mijn handen, richt ze op hem en vuur de energie op hem af die zich de afgelopen seconden in mijn vingertoppen heeft verzameld. Ik verwacht een enorme bal magie waarmee ik de demonenmeester tegen de vlakte kan slaan, en ons naar het verleden kan flitsen, waar ik alles in orde kan maken. Maar de magie komt naar buiten als een stroom in plaats van een plotselinge uitbarsting. En ze gaat niet in de richting van Lord Loss. Ze stroomt naar Bill-E.

Ik probeer de energie van richting te doen veranderen, maar ik heb er geen macht over. De magie sijpelt uit mij mijn dode broer in. Lord Loss kijkt onzeker toe, hij fronst en vraagt zich misschien af of dit onderdeel uitmaakt van een tijdreisbezwering. Beranabus sleept zich naar ons toe, niet bereid zich zonder slag of stoot te laten doden. Derwisj zit nog steeds huilend over Bill-E heen gebogen, zich niet bewust van wat er gebeurt.

En dan beweegt Bill-E.

Eerst denk ik dat Derwisj tegen het lichaam stoot, maar dan zie ik Bill-E's vingers bewegen, schudden en zich naar binnen krullen. Zijn lippen gaan uiteen. Hij huivert. Zijn ogen gaan open.

'Wat moet dit voorstellen?' gromt Lord Loss. 'Een

wedergeboorte? Onmogelijk. Ik voelde zijn ziel uiteenvallen.'

'Billy?' roept Derwisj uit. Hij kan zijn ogen niet geloven en valt achterover wanneer Bill-E gaat zitten en om zich heen kijkt.

'Bill-E!' schreeuw ik opgewonden. Ik grijp zijn armen vast, knijp erin en de ontzetting maakt plaats voor vreugde. Op de een of andere manier heb ik hem teruggebracht. Heb ik magie gebruikt om zijn leven te herstellen. Alles is in orde. We hebben de demonen verslagen én Bill-E gered. Niet slecht voor één avond werk! 'Het spijt me wat ik gedaan heb, maar het kon niet anders. Het maakt nu ook niet meer uit. Je leeft. We hebben die engnekken in de pan gehakt en...'

Ik zwijg. Bill-E kijkt me nieuwsgierig aan, alsof hij me niet kent. En zijn gezicht ziet er raar uit. Zijn huid bobbelt, rimpelt, flakkert, een beetje zoals toen Juni's gezicht veranderde. Dan doet hij zijn mond open en begint te praten, en ik versta er geen woord van, want hij spreekt de taal van het meisje in de rotsen. Het zijn Bécs woorden, niet die van Bill-E.

Lord Loss hapt naar adem. 'Jij! Nee! Ik sta niet toe dat jij...'

Bill-E's rechterhand wijst naar de demonenmeester. Hij roept iets in Becs taal en Lord Loss krijst: 'Arterie! Aanvallen!' Het hellekind springt en Bill-E's hand maakt een snelle beweging. Er schiet een bol energie uit zijn vingers en Arterie spat in honderden stukjes uiteen. Dat zal hij niet meer kunnen herstellen. Het hellekind is eindelijk op indrukwekkende en meedogenloze wijze gedood.

Bill-E gaat staan. Zijn vlees is nog steeds aan het veranderen. Zijn botten lijken ook te veranderen. Zijn ogen en oren. Zijn hele gezicht. Het wordt zachter, smaller... *vrouwelijker.*

Lord Loss staart naar de overblijfselen van zijn dode dienaar. Hij trilt van woede en angst. 'Je had niet terug moeten komen, meisje,' snauwt hij. 'Dit is verkeerd. Dit is vragen om moeilijkheden, en wees maar zeker – die zul je krijgen.'

Bill-E lacht op een manier waarop hij nog nooit heeft gelachen. Hij krijgt Spine in het oog en beweegt zijn hand in de richting van de demon. Binnen enkele seconden is de demon onder schril gekrijs gesmolten en is er niet meer dan een met kraakbeen doorspikkeld plasje van hem over. Kernel staat onzeker om zich heen te graaien en vraagt zich af wat er met zijn vijand is gebeurd.

Bill-E kijkt Lord Loss weer aan. Zijn gezicht is onherkenbaar. Zijn lichaam ook. Hij is gekrompen en zijn kleren slobberen om zijn lichaam. Ik dacht dat ik gek aan het worden was, maar Derwisj en Beranabus zien het nu ook. De verbijstering druipt van hun gezichten af.

Wanneer Bill-E weer begint te spreken herken ik het accent van het meisje even duidelijk als toen ze me vanuit de rotsen toesprak. Lord Loss trilt en kijkt haar dan woedend aan. 'Het zij zo. Misschien heb je gelijk – het is onze tijd niet. Maar die zal komen, wees daar maar zeker van. En deze keer zul je geen anderhalf millennium hoeven wachten!'

De demonenmeester richt zich op en kijkt mij dan aan. 'Geniet maar van je overwinning, Grubitsch.

Onthoud echter: het einde van de wereld is nabij en die amateurpriesteres en jij zullen dat op geen enkele manier kunnen tegenhouden. En onthoud ook dit: je hebt je eigen broer gedood. Hij is door jóúw hand gestorven. Hoe denk je dat je vannacht zult slapen? En alle...'

Bill-E blaft een korte bezwering. Tussen de repen vlees onder aan de benen van de demonenmeester wemelt het opeens van de ratten. Lord Loss gilt, slaat een aantal ratten van zich af en stuift dan naar de stalagmiet waar het lichaam van Juni op gespietst is. Hij rukt het lichaam los, drukt het tegen zijn borst, grauwt haatdragend naar ons allemaal en duikt op de scheur in de rots af – die nu nog maar een paar centimeter wijd is. Met een harde klap komt hij tegen de rots aan en hij heeft zijn magie nodig om zich de scheur in te persen. Hele repen vlees van Juni en hemzelf blijven achter de rots hangen en de ratten aan Lord Loss' benen worden losgetrokken. Ze vallen op de grond, waar ze een paar seconden versuft rondjes lopen. Dan verdwijnen ze naar buiten, terug naar de plek vanwaar Bill-E ze hierheen had ontboden.

Alleen was het niet Bill-E die de ratten had laten verschijnen. Het was Bec. En terwijl ik toekijk hoe hij zichzelf inspecteert, nieuwsgierig zijn borst en gezicht aanraakt, besef ik dat Bill-E nog net zo dood is als eerst. Het meisje uit het verre verleden heeft de macht over zijn lichaam overgenomen en is het in haar eigen lichaam aan het veranderen.

Een paar uur later. Thuis. Ik zit met Derwisj en Kernel in de televisiekamer. Kernel slaapt en kreunt in zijn droom, nu de pijn eindelijk komt. Beranabus en Bill-E... nee, Beranabus en Bec zitten in een andere kamer en hebben een langdurig openhartig gesprek. De tovenaar was buiten zinnen toen hij besefte wat er aan de hand was. Hij barstte bijna uit elkaar van vreugde. Hij omhelsde Bec uitbundig, huilde van geluk, zoende haar gezicht. En zij stond daar maar, haar armen om hem heen geslagen, ook in tranen, en steeds weer hetzelfde woord herhalend: '*Bran!*'

Derwisj en ik hebben niets tegen elkaar gezegd. Hij staart in de verte, zijn gezicht nat van de tranen. Van tijd tot tijd schudt hij zijn hoofd of maakt hij een zacht grommend geluid. Verder dan dat gaat onze communicatie niet.

Ik weet niet wat ik moet voelen. Ik heb de wereld van de Demonata bevrijd, maar tegen welke prijs? Om je eigen broer te doden... Zo'n wreed lot zou niemand mogen treffen. Ik wilde nu al dat ik terug kon om het anders te doen. Misschien zou Bill-E levend en lijdend beter af zijn dan dood. Had ik het recht die keus voor hem te maken? Ik weet het niet.

En misschien kán ik ook terug. Zodra Berananbus en Bec zijn uitgepraat wil ik het er met hem over hebben. Een manier vinden om net als eerst terug in de tijd te reizen. Dit alles verhinderen. Bill-E uit Juni's klauwen grissen. Nooit de ingang naar de grot uitgraven. Ik zou niet weten waarom dat niet kan. We hebben het als eens eerder gedaan. Het maakt me niet uit wat Beranabus zegt over golven en treinen die het eind van de rit bereiken, er móét een manier zijn om het nog een keer te doen.

Eindelijk breekt er weer een normale dag aan. De opkomende zon verlicht een wereld die niet beseft dat ze op het randje heeft gestaan van een afgrond van demonische verdoemenis. Beranabus en Bec komen de televisiekamer in. Er is bijna niets van Bill-E over. Het meisje heeft het volledig overgenomen en zijn lichaam tot haar eigen gestalte omgevormd. Zelfs zijn haar is donkerrood. Een paar dingen zijn hetzelfde gebleven: ze loopt zoals hij, en haar linkerooglid hangt iets lager dan het rechter. Maar ik weet zeker dat ook die dingen zullen verdwijnen.

'Excuses dat we zo lang weg bleven,' zegt Beranabus en hij neemt tegenover Derwisj plaats. 'We hadden elkaar nogal veel te vertellen. We hebben het zo kort mogelijk gehouden, alleen de belangrijkste onderwerpen besproken.'

Bec staart naar de bank en gaat dan op de grond zitten, aan de voeten van de tovenaar. Ze kijkt me bezorgd aan. 'Ik hoop dat je het niet erg vindt dat ik dit lichaam heb genomen.'

Ik knipper met mijn ogen. 'Spreek je nu onze taal?'

'Een bezwering,' legt ze uit. 'Van Beranabus geleerd. Ik spreek mijn eigen taal, maar dankzij de bezwering kunnen anderen me verstaan.' Ze zucht. 'Als ik zo'n bezwering had gehad toen we elkaar voor het eerst ontmoetten, was het allemaal een stuk eenvoudiger geweest.'

'Onder normale omstandigheden zou ik hebben gezegd: gedane zaken nemen geen keer...' begin ik, maar Derwisj onderbreekt me.

'Wie ben jij?' roept hij. 'En wat heb je in jezusnaam met Billy gedaan?'

'Billy is dood,' zegt Beranabus. 'Dit is Bec, een oude vriendin van me.'

'Nee,' schreeuwt Derwisj en hij springt overeind. 'Dat is Billy's lichaam. Ze heeft het gestolen. Ik heb het zelf gezien. Ze moet het teruggeven.' Zijn handen ballen zich tot vuisten.

'Het spijt me,' zegt Bec zacht, 'maar dat is niet mogelijk.'

'Ook al zou ze het kunnen teruggeven, wat moet je ermee?' Beranabus mengt zich in het gesprek, op zijn bekende botte manier. 'De jongen is dood. Bec heeft zijn levenloze lichaam genomen en het met zichzelf bezield. Als zij uit zijn lichaam verdwijnt, heb je alleen een dood kind in je handen.'

'Ik wil hem terug,' snauwt Derwisj met opengesperde ogen.

'Ik begrijp het,' zegt Bec ernstig. 'Je wilt hem begraven.'

'Nee!' buldert Derwisj. 'Ik wil hem vasthouden en zeggen hoeveel ik van hem hou. Ik wil...' Hij stort in en zakt huilend in de kussens. Ik wil naar mijn oom gaan, hem beetpakken, hem helpen. Maar ik zit nog met te veel vragen. Hoe wreed het ook klinkt, Derwisj moet even wachten.

'Hoe heb je het gedaan?' vraag ik zacht.

'Wat precies?' zegt Bec.

'Dat laatste – Bill-E's lichaam overnemen.'

Ze haalt haar schouders op. 'Ik kon alles zien wat er gebeurde. Ik was weer in jou gekropen – toen we samen de tijd ombogen, verbond ik me met jouw lichaam en geest. Ik had daar kunnen blijven, verborgen in jou, en dat was ik ook van plan. Maar toen ik zag wat Lord Loss wilde doen en ik me realiseerde dat jij niet van plan was jezelf te verdedigen, moest ik ingrijpen. Ik wist niet zeker of ik iets met het lichaam van de dode jongen kon, maar wilde er hoe dan ook tijdelijk gebruik van te maken. Ik dacht dat ik het me kon toe-eigenen om Lord Loss te verdrijven en het dan weer verlaten.

'Maar tot mijn schrik accepteerde het lichaam me. Meer dan dat: ik kon het transformeren en er mijn eigen vorm aan geven. Dat had niet gehoeven, ik had de gedaante van je broer kunnen aanhouden, maar daar zou ik me niet mee op mijn gemak hebben gevoeld. En jullie denk ik ook niet.'

'Dus dit is nu jóúw lichaam?' vraag ik haar. 'Na al die jaren in de grot ben jij een levend wezen dat zich net als ieder ander kan ontwikkelen?'

Weer haalt het meisje haar schouders op en ze werpt Beranabus een blik toe.

'We weten het niet,' zegt de tovenaar langzaam en hij legt zijn hand op Becs korte rode haar. 'Het is mogelijk dat dit lichaam ouder wordt en zich natuurlijk ontwikkelt – misschien ook niet. We zullen moeten afwachten. Alleen de tijd zal het ons leren.'

'Over tijd gesproken...' Ik leun begerig naar voren. Dit had ik eigenlijk willen vragen, maar ik vond het niet beleefd om meteen met de deur in huis te vallen. 'Hoe heb je ons teruggehaald uit de toekomst?'

Bec schudt haar hoofd zacht. 'Dat heb ík niet gedaan. Wíj hebben het gedaan – Kernel, jij en ik.'

'Maar jij hebt het in gang gezet. Jij kende de bezweringen. Jij had de controle.'

Weer schudt ze haar hoofd. 'Het was de Kah-Gash.

Wij maken deel uit van het wapen, maar het heeft zijn eigen wil. Toen we één werden, werd onze magie de magie van de Kah-Gash. Die liet ons weten hoe we onze krachten konden bundelen. De Kah-Gash heeft ons gebruikt. Net als jij wist ik niet waar hij op uit was. De tijdreis kwam voor mij net zo goed als een verrassing als voor jou.'

Bec kijkt om zich heen naar de stoelen, de ramen, de televisie. Dit is allemaal nieuw voor haar. Onvoorstelbaar. Ze komt uit een tijd dat de wereld veel eenvoudiger was. Ze kan nauwelijks wachten om op onderzoek uit te gaan, vragen te stellen, wijs te worden uit al die vreemde vormen en voorwerpen. Maar deze gelegenheid kan ik niet laten voorbijgaan.

'Herinner je je de bezweringen?' dring ik aan. 'Zouden we het nog een keer kunnen doen?'

Ze denkt een moment na en fronst. 'Vreemd. Meestal hoef ik iets maar één keer te horen. Ik heb een volmaakt geheugen en vergeet nooit iets. Maar deze keer herinner ik me niets van de bezweringen. Ik zou ze niet kunnen herhalen.'

'Je zou het kunnen proberen,' hou ik vol.

Ze knikt. 'Als jij een beginnetje maakt, wil ik mijn best wel doen. Maar zonder jouw hulp lukt het me niet. Jij zult me op weg moeten helpen, net als de eerste keer.'

'Grubbs,' zegt Beranabus, 'je kunt niet terug.'

'Waarom niet?' val ik tegen hem uit. Derwisj kijkt op, geschrokken door mijn felheid. 'Waarom zou dat verdomme niet kunnen?'

'De Kah-Gash heeft de tijd omgekeerd omdat de wereld vernietigd dreigde te worden en er geen andere uitweg was,' zegt Beranabus rustig. 'Het was echter een uitermate hachelijke onderneming. Als het verkeerd was gegaan, was het uitgelopen op chaos, tijdloosheid, misschien wel de vernietiging van beide universums. Je kunt niet weer zo'n risico nemen omwille van één jongen.'

'Die ene jongen betekent voor mij toevallig wel meer dan iedereen van de hele wereld bij elkaar,' bijt ik hem toe.

'Dat kan zijn,' reageert Beranabus, 'maar voor de Kah-Gash betekent hij niets. Anders zou je hier niet zitten debatteren – je zou bezweringen aan het uitspreken zijn, op zoek naar de energie die je mee terug kan nemen. Jíj bent degene die de laatste keer de zaak in beweging heeft gebracht. Jij handelde als eerste. Als je het nog een keer wilt doen, ga je gang.'

'Maar ik weet niet hoe!' jammer ik.

'Vraag het de Kah-Gash,' oppert Bec. 'Hij heeft eerder met ons gesproken en ons geleid. Hij lijkt op een mens. Je kunt met hem praten. Vraag het en kijk hoe hij reageert.'

'Ik denk niet...' begint Beranabus.

'Laat hem,' houdt Bec vol. 'Als hij het gevoel heeft dat hij dit moet doen, en als hij het kan, wie zijn wij dan om hem tegen te houden?'

Ik kijk haar onzeker aan, sluit dan mijn ogen en concentreer me. Ik ga op zoek naar de magie en vind haar al snel, een energie en een bewustzijn. Er zijn nu geen obstakels meer tussen ons. Ik zal haar voortaan zonder enige moeite kunnen vinden. Ze is net zozeer deel van me als de zuurstof in mijn longen.

Ik laat de magie – de Kah-Gash – weten wat ik wil.

Ik smeek hem om hulp. Maar er komt geen antwoord. Ik dacht al dat er geen antwoord zou komen. Nu we één zijn, ben ik dat andere, mysterieuze deel van mezelf beter gaan begrijpen. Beranabus heeft gelijk. Ik zal de structuren van de tijd nooit laten bezwijken louter om Bill-E te redden.

'Zelfs als je de bezweringen kende,' zegt Beranabus wanneer ik mijn ogen open en de tranen over mijn wangen stromen, 'dan is er nog geen bron om naar terug te keren. In deze tijd is de tunnel nog niet geopend. Er is geen rivier van energie om over terug te reizen.'

'We zouden een andere plek kunnen zoeken waar de demonen zijn doorgebroken,' kerm ik.

'Nee,' zegt Beranabus. 'Je hebt een open tunnel nodig, maar die is er niet.'

'Misschien hoeft hij niet open te zijn,' fluister ik in een laatste, wanhopige poging. 'We kunnen een tunnel proberen die gesloten is. Misschien zit de energie er in opgesloten, op zijn plek gehouden, zoals in een batterij of een accu.'

'Misschien,' beaamt Beranabus. 'Maar zelfs als de energie daar aanwezig was en je erbij kon, zou je de vrijgemaakte rivier van energie tot aan zijn oorsprong moeten volgen. Ik betwijfel of het mogelijk is om grenzen aan te brengen, om slechts een dag, een week of een maand terug te reizen.'

'Nou en?' snik ik. 'We reizen terug naar het begin en dan wachten we. Dat kan mij niet schelen.'

Beranabus glimlacht vriendelijk. 'De laatste tunnel die qua omvang ook maar een beetje in de richting kwam van deze, is meer dan driehonderd jaar geleden gesloten.'

'Drie...' mompel ik, terwijl ik het laatste sprankje hoop in me voel uitdoven.

'Geef het op,' Grubbs,' zegt Beranabus. 'Je broer is dood en je kunt hem niet terugbrengen. Er is geen ontkomen aan. Je maakt jezelf gek door het niet te willen accepteren.'

'Misschien is dat nog niet zo'n gek idee,' zucht ik. Huilend zit ik op de bank en neem in stilte afscheid van mijn arme, ongelukkige Bill-E Spleen – moge hij in vrede rusten. Shit.

Een kleine stap voor de mensheid

Derwisj' slaapkamer. Met een uitdrukkingsloos gezicht zit hij aan het voeteneinde van zijn bed. Hij heeft het vuil en het bloed nog niet van zijn gezicht en handen gewassen. Ik ook nog niet. Te lusteloos voor dat soort alledaagse bezigheden. Het leven neemt straks weer zijn gewone gang. Dat weet ik zeker – dat doet het altijd. Maar nu zijn we een stel zombies, tot niet meer in staat dan de simpelste bewegingen.

'Tot later,' mompel ik en ik maak aanstalten om naar mijn eigen bed te gaan.

'Wacht,' zegt Derwisj. 'Ik wil niet alleen zijn, nu niet. Blijf bij me. Alsjeblieft?'

Met een vermoeid knikje begin ik de bladeren van mijn magische kleren van me af te trekken. Ze hangen in slierten aan mijn lichaam en laten makkelijk los. Maar na een paar bladeren verlies ik mijn interesse en kruip ik naast Derwisj op het bed. Ik sla mijn armen om hem heen en we houden elkaar stevig vast. Toen ik hier pas woonde hield hij me vaak zo vast wanneer ik uit een van mijn gewelddadige nachtmerries ontwaakte. Maar deze keer is de nachtmerrie werkelijkheid en biedt een omhelzing maar weinig troost.

'Je moest het wel doen,' fluistert Derwisj.

Ik barst opnieuw in tranen uit. 'Hij was mijn broer,' kreun ik. 'Wat zou pa hebben gezegd?'

'Hetzelfde als ik,' zegt Derwisj met gebarsten stem. 'Je hebt gedaan wat moest. Ik had het moeten doen. Ik was zijn voogd – en de jouwe. Het was mijn verantwoordelijkheid. Maar ik had er de kracht niet voor. Ik heb gefaald. Als jij niet zo dapper was geweest, waren we allemaal gestorven en had Billy vreselijk geleden. Je hebt gedaan wat het beste was. Je zou je trots moeten voelen in plaats van ellendig.'

Ik lach bitter. 'Tróts! Dat zal wel.'

Derwisj zucht. 'Verkeerde woord. Je zou je... Ik weet het niet... Misschien is er geen woord voor. Maar je hebt het juiste gedaan. Dat moet voldoende zijn. Dat moet je op de been houden. Want als je je hierdoor kapot laat maken – als je de gekte de overhand laat krijgen – verlies ik twee neven in plaats van één.'

'Maar het is zo verleidelijk,' mompel ik. 'Ik wil weg, Derwisj. Ik weet hoe het is om gek te zijn. Het is makkelijker dan dit. Alles is makkelijker dan dit.'

Derwisj zwijgt een tijdje. Dan zegt hij: 'Ik wil een deal met je sluiten. Als jij je tegen de verleiding verzet... bij je verstand blijft, hoe pijnlijk het ook is... dan doe ik het ook.'

'Voel jij het ook?' vraag ik, verrast door zijn bekentenis.

Hij knikt. Ik weet dat hij het niet zomaar zegt, want ik zie hoe hij trilt.

'Zoals je al zei lijkt alles makkelijker dan dit. Maar we hebben elkaar. Als jij vecht, zal ik ook vechten. Ik zal bij mijn verstand blijven voor jou als jij bij je verstand blijft voor mij. Afgesproken?'

Ik omhels hem nog steviger, ik hou meer van hem dan ooit. 'Afgesproken.'

Derwisj knippert met zijn ogen en kijkt naar het plafond. 'Het klinkt gestoord, maar ik voel ook verdriet om Juni. Ik weet dat ze slecht was en ik haat haar om wat ze heeft gedaan, maar ik hield van haar. Ik dacht echt dat we de rest van ons leven samen zouden blijven. Ze moest sterven en ik ben blij dat ik het heb gedaan, maar...'

'Ik snap wat je wilt zeggen. Ik mis haar ook. Het verbaasde me dat Lord Loss haar lichaam meenam. Ik denk dat hij haar wil begraven of cremeren.'

Derwisj snuift. 'Opeten, zul je bedoelen!'

We lachen zacht, gepijnigd – de eerste stap in de richting van iets wat op een gegeven moment zal doorgaan voor een normaal leven. En dan, met onze armen om elkaar heen geslagen, sluiten we onze ogen, luisteren we naar de geluiden van het huis en de wereld buiten, en zakken langzaam weg in een door nachtmerries geteisterde maar hoe dan ook welkome slaap.

Wanneer ik wakker word is het donker. Derwisj ligt zacht te snurken. Ik blijf een paar minuten stil liggen en geniet van de nabijheid van mijn oom. Ik denk aan Bill-E en Loch, mijn verloren broer en vriend. Ik probeer niet te huilen en het lukt me maar net om de tranen te bedwingen.

Ik glijd voorzichtig van het bed om Derwisj niet wakker te maken. Van mijn bladerpak is niets meer over. Ik veeg de laatste verfrommelde resten van me af, loop zacht naar mijn eigen kamer, neem een douche en trek mijn normale outfit aan. Terwijl ik me aankleed, denk ik terug aan alles wat er is gebeurd: de nacht dat ik bijna een weerwolf werd, het vliegtuig, Beranabus, het gevecht met de demonen, de reis terug in de tijd, het doden van Bill-E.

Ligt het aan mij of ís het ook een beetje veel voor iemand van mijn leeftijd? De rampen waar mijn vrienden mee te maken krijgen zijn meestal niet groter dan acne of slechte adem. Zou het niet eerlijker zijn geweest om de gekte een beetje te verdelen? Had Charlie niet met de weerwolfvloek opgezadeld kunnen worden en Frank met het tovenaar-zijn? Had Leon niet door Juni verraden kunnen worden en had Beranabus Robbie niet kunnen ronselen? Laten we de meisjes niet vergeten. Reni heeft haar portie wel gehad, door het verlies van Loch, maar Mary had makkelijk het moeten doden van een van haar broers op haar bordje kunnen krijgen en dan had Shannon dat gedoe met het tijdreizen kunnen doen.

Ik grinnik (prettig om te merken dat ik dat nog kan). Ik stel me aan, maar er zit toch een kern van waarheid in. Het is nogal een last om in je eentje te dragen, zeker als je zo jong, onervaren en… oké, voor de draad ermee… laf bent als ik. Het is niet eerlijk.

Maar het universum is ook niet eerlijk. Pijn, tegenspoed en problemen worden niet keurig netjes verdeeld over degenen die er het best tegen opgewassen zijn. Soms moet iemand als een Atlas het gewicht van de hele wereld op zijn schouders meetorsen. Het zou niet moeten mogen, maar het gebeurt wel.

Ik heb tenminste nog een kruimel troost dat ik niet heb gefaald. Ik heb geblunderd en de hele tijd gewenst dat ik ertussenuit zou kunnen knijpen. Maar ik ben doorgegaan. Ik heb gedaan wat ik moest doen. Ik heb het overleefd. Het was leuk geweest als het zonder kleerscheuren was geweest, als Bill-E en Loch nog in leven waren. Maar over de hele linie bekeken mag ik niet klagen. Zo zou Beranabus het zien. En hij heeft gelijk. Maar daardoor voel ik me nog niet beter. Ik word erdoor verteerd dat ik Bill-E heb gedood. Ik denk niet dat die pijn ooit kan worden weggeredeneerd.

Nadat ik me heb aangekleed, ga ik op zoek naar Beranabus, Kernel en Bec. Ik probeer me op hun noden te concentreren, anders blijf ik toch maar over Bill-E piekeren. Beranabus is tijdens het gevecht ernstig gewond geraakt en heeft misschien hulp nodig. Kernel zal veel pijn hebben. Hij zei dat hij naar het ziekenhuis moest. Dat kan ik wel regelen. En Bec...

Ik weet niet goed wat ik kan doen voor een meisje dat al zestienhonderd jaar dood is en nu plotseling met een dreun in de moderne wereld is beland. Ik denk om te beginnen een rondleiding door het huis geven. Leren hoe ze ramen en deuren open en dicht moet doen, uitleggen wat televisies, computers en cd-spelers zijn. Nee... die kunnen wachten. Eerst leren hoe ze het bad laat vollopen en een douche kan nemen. Haar wat kleren geven waarmee ze het kan uitzingen totdat ze in Vale kan gaan winkelen. Laten zien waar alles ligt in de keuken, wat een koelkast is, hoe je een blik openmaakt, dat het water uit de kraan komt en niet uit een put.

Terwijl ik de trap af loop, kan ik haar horen. Nee... niet echt horen. Meer voelen. In de portrettengalerij.

Ik loop ernaartoe om te kijken hoe het met haar gaat. Ze staat de gezichten van de Grady's en hun verwanten te bestuderen. Langzaam en geconcentreerd loopt ze van het ene naar het andere geschilderde of gefotografeerde portret, haar hoofd een beetje schuin.

'Dit zijn geen tekeningen,' zegt ze zonder om te kijken. Ze voelt mijn aanwezigheid net zoals ik de hare had gevoeld.

'Het zijn foto's.'

'Is het magie? Zitten de mensen er levend in, zijn hun zielen opgesloten zoals de mijne in de grot?'

'Nee. Het is alleen maar hun afbeelding. Die maken we met een machine.'

'Machine?'

'Een speciaal werktuig.'

Ze draait zich om. 'Ik kon de grot niet uit. Van het universum van de Demonata kon ik een glimp opvangen, maar van deze nieuwe wereld was niets te zien. Ik heb geen idee wat er is veranderd.'

'De meeste dingen zijn anders dan in jouw tijd. Waarschijnlijk alles. Het zal even duren voordat je eraan gewend bent, maar dat komt wel goed. Zie het als een avontuur – je bent een gloednieuwe planeet aan het verkennen.'

'Ja, ik ben ook opgewonden. Bang, maar opgewonden.' Ze zucht. 'Is dat jouw familie?'

'Een aantal van hen.' Ik ga naast haar staan. 'Ze zijn allemaal ziek geworden of overleden bij hun pogingen degenen die besmet waren geraakt te helpen. Je weet toch dat sommigen van ons in een weerwolf veranderen?'

'Ik heb ze in mijn tijd gezien,' antwoordt ze. 'Ik

had niet gedacht dat de vloek zo lang zou blijven bestaan. Maar het verbaast me niet. Het bloed van de Demonata is sterk.' Ze kijkt me verlegen aan. 'We zijn familie van elkaar. Het gaat wel heel veel generaties terug, maar uiteindelijk zijn we familie.'

'Ik weet het.'

'De zwarte priesteres – Juni Swan, Nadia Moore, hoe je haar ook wilt noemen – was een van ons. Beranabus zei dat ze in de toekomst kon kijken. Misschien was onze demonische afkomst wel de oorsprong van haar vreemde krachten.'

Ik grom. Ik wil het nu niet over Juni hebben.

'De jongen... Bill-E... hij was ook familie.'

'Ja,' mompel ik. 'Mijn broer.'

'Het spijt...' begint ze.

'Trek het je niet aan,' onderbreek ik haar. 'Het was niet jouw schuld. Bill-E zou het niet erg hebben gevonden. Hij was altijd al een voorstander van recycling.'

'Van wat?' Bec fronst haar wenkbrauwen.

'Ik leg het je later wel uit. Waar zijn Beranabus en Kernel?'

'Buiten. Ze...' Ze werpt me een zijdelingse blik toe en ik weet meteen wat ze aan het doen zijn, wat ze van me verwachten.

'Nu al?' vraag ik stroef. 'Kan dat niet nog even wachten?'

'Nee.' Ze kijkt weer naar de gezichten. 'Ik ga niet. Bran zei dat ik hier moest blijven. Hij zei dat ik Derwisj gezelschap moest houden, dat hij voor mij kon zorgen en ik voor hem. Hij zei dat elkaars gezelschap ons goed zou doen.'

'Ik zorg voor Derwisj,' bijt ik haar toe.

Bec haalt haar schouders op. 'Ik zeg alleen maar wat Bran heeft gezegd. Hij heeft ook gezegd dat Derwisj me wegwijs kon maken in de nieuwe wereld en dat hij jou meer over magie kon leren. Volgens hem is dat voor iedereen de beste regeling.'

'Dat zullen we nog wel eens zien,' zeg ik verontwaardigd en ik loop kwaad weg. Voordat ik de hoek om ga, draai ik me om en ik kijk haar aan. 'Als ik om de een of andere reden niet terugkom... als me iets overkomt... dan wil jij Derwisj wel onder je hoede nemen, toch?'

'Ik heb eerder mensen getroost die hun dierbaren waren kwijtgeraakt. Er waren er veel in mijn stee – mijn dorp. Ik zal mijn best doen. Dat beloof ik je.'

Ik knik dankbaar en haast me dan de trap af om het een en ander met Beranabus te bespreken en een paar dingen recht te zetten.

De tovenaar en Kernel zitten voor het huis midden op de weg gehurkt in kleren die ze uit onze kasten hebben gehaald. Ze hebben hun ergste verwondingen geheeld, maar zitten nog onder de snijwonden en blauwe plekken en Kernel is nog even blind als eerst. Tussen hen in bevindt zich een bekende monoliet.

'Jullie gaan er al weer vandoor?' vraag ik Beranabus gespannen.

'Werk aan de winkel,' antwoordt hij kortaf. 'Heb je Bec gezien?'

'Ja. Ze verkeert in de veronderstelling dat ik vertrek. Ze zei dat zij de opdracht had gekregen om voor Derwisj te zorgen.'

'Blijft Bec hier?" vraagt Kernel verrast.

'Ik heb overwogen haar mee te nemen,' zegt Beranabus. 'Zonder haar kunnen we de Kah-Gash niet echt testen. Ik heb zo lang gewacht om de verschillende stukjes te vinden. Misschien is het waanzin om haar hier te laten. Maar het wapen jaagt me angst aan. Het gaf ons de kracht terug te reizen in de tijd en de Demonata te stoppen, maar daarvóór leidde het Grubbs naar de grot en zette deze hele reeks gebeurtenissen in gang.'

'Ik herinner me niet dat het me leidde,' zeg ik met een frons.

'De nacht dat jij naar de grot ging toen je een weerwolf was geworden,' brengt Beranabus me in herinnering. 'Je hebt toen de ingang grotendeels vrij gemaakt. Bec had je niet geroepen en in dat stadium had Lord Loss er nog niets mee te maken. Het kan alleen maar het werk van de Kah-Gash zijn geweest. Die wilde dat je de grot weer open maakte – wat me doet vermoeden dat het ook de Kah-Gash was die wilde dat de tunnel werd heropend.'

'Bedoelt u dat we hem niet kunnen vertrouwen?' blaft Kernel. 'Alle tijd en moeite die we erin hebben gestopt, alle offers die we hebben gebracht, de risico's die we hebben genomen... allemaal om een wapen te vinden dat we niet durven gebruiken?'

'Uiteindelijk zullen we het wel gebruiken,' zegt Beranabus. 'We zullen wel moeten. Maar ik wil eerst jullie tweeën bestuderen en een beter beeld krijgen van wat we kunnen verwachten wanneer we de kracht van de Kah-Gash gaan oproepen. Ik denk dat we jullie drieën beter niet bij elkaar kunnen laten totdat we zeker weten dat we de Kah-Gash onder controle hebben.'

'Waarom laat u mij dan niet hier en neemt u Bec mee?' vraag ik.

Beranabus zucht. 'Ze heeft diep geleden en ik geef veel om haar. Als kind was ik een warhoofd – dat vinden jullie vast moeilijk te geloven. Dankzij Bec heb ik een belangrijke doorbraak gemaakt. Ze heeft me de weg gewezen en me met beide benen op de grond gezet. Ik sta voor eeuwig bij haar in het krijt. Ze verdient het om weer te leven, mens te zijn. Als ik kon, zou ik haar voor altijd hier laten. Dat is onmogelijk, maar aangezien het een goed idee lijkt om een van jullie een tijdje uit de buurt van de anderen te houden, gun ik haar deze vrije tijd van harte. Zoals de goden ongetwijfeld weten, heeft ze het verdiend.'

'Dat is het menselijkste dat ik ooit van u heb gehoord,' mompelt Kernel. Dan fronst hij zijn wenkbrauwen. 'Als u haar hebt gekend, moet u zestienhonderd jaar geleden ook hebben geleefd. Ik wist niet dat mensen zo lang konden overleven.'

'Dat kunnen ze ook niet,' gromt Beranabus. Hij veegt het opgedroogde bloed van zijn wangen. Het is geel in plaats van rood. 'Je hebt me in de grot zien veranderen, nietwaar?' vraagt hij aan mij.

'Ik zag... iets,' zeg ik behoedzaam.

'Zo nu en dan komt het naar de oppervlakte. Soms maak ik gebruik van de energie. Het is een gevaarlijk spel om het zo dichtbij te laten komen. Ik loop het risico te bezwijken en de controle erover te verliezen. Maar er zijn momenten dat we de gok moeten wagen.' Hij kijkt ons nors aan en zegt dan snel, onomwonden: 'Ik ben voor de helft Demonata. Mijn vader was een demon. Daar komt mijn magie vandaan. Dat is de reden dat ik zo lang leef.'

'Dat hebt u me nooit verteld,' fluistert Kernel.

'Het is niet iets om trots op te zijn,' zegt Beranabus fel. 'Mijn moeder kwam in aanvaring met het monster. Het was nooit haar bedoeling dat dit zou gebeuren. Het was een afschuwelijke wending van het lot, of de manier van het universum om zichzelf tegen de Demonata te beschermen.'

'Had u een van hén kunnen zijn?' vraagt Kernel. 'U bent nu steeds als mens door het leven gegaan. Had u ook als demon kunnen leven als u dat had gewild?'

'Inderdaad. De mogelijkheid om tot demon uit te groeien is er altijd geweest. En is er nog steeds. Mijn demonhelft probeert me voortdurend te verleiden, te pushen om me aan het kwaad over te leveren, me bij de Demonata aan te sluiten en samen deze wereld te veroveren. Het is een dagelijks gevecht. Ik heb het onder controle weten te houden – tot nog toe.'

'Wie is uw vader?' vraag ik. 'Lord Loss?'

'Doe niet zo belachelijk,' snuift hij. 'Mijn vader was een van de mindere demonen. Ik heb het monster eeuwen geleden opgespoord. Ik heb hem gedood en van zijn kop bevrijd. De schedel heb ik een tijdje als po gebruikt.' Hij gebaart naar de monoliet. 'Kunnen we verder, nu we op de hoogte zijn van mijn verwerpelijke familiegeschiedenis?'

'Ik ga niet mee,' zeg ik. 'Ik blijf hier bij Derwisj en Bec.'

Beranabus haalt zijn schouders op. 'Zoals je wilt.'

'Praat niet zo tegen me. Ik heb mijn aandeel geleverd. Ik heb gezorgd dat de demonen niet konden doorbreken. Ik heb mijn broer gedood en de wereld gered. Wat wilt u nog meer van me?' schreeuw ik.

Beranabus kijkt me onbewogen aan. 'Het gaat er niet om wat ik wil. Het gaat erom wat het universum wil. En een van de dingen die ik in mijn lange leven heb geleerd, is dat het universum altijd méér wil. Het maalt niet om offers en goed je best doen. Het wil dat we blijven vechten. Wat het universum betreft bestaat er geen rust, niet voor de goeden en niet voor de slechteriken. Ik betwijfel of het überhaupt de betekenis van het woord rust kent.'

'Nou, van mij mag het universum heel diep in de stront zakken!' krijs ik. 'Ik heb het gehad. Ik heb gedaan wat ik moest doen en nu wil ik niet meer meedoen, net als Bec.'

'Het ligt niet in mijn macht om je te laten gaan of hier te houden,' zegt Beranabus zacht. 'Je geweten zal je leiden. Het heeft geen zin om tegen mij te gaan staan schreeuwen. Je moet kwaad zijn op jezelf. Als je egoïstisch was, als je niets om de wereld gaf, of als je maar een fractie van de lafaard was die je denkt te zijn, dan zou je nu naar binnen gaan. Je zou teruggaan naar school en nog lang en gelukkig een simpel mensenleven leiden. Waar je ook volledig recht op hebt.'

Hij doet een stap dichterbij en schudt zijn hoofd. 'Maar dat kun je niet. Heb ik gelijk of niet? Je hebt het schaduwmonster in de grot gezien, het monster dat bijna doorbrak – hun leider.'

'Hij was immens,' fluister ik. 'Machtig. Kwaadaardig.'

'Alle demonen zijn kwaadaardig,' zegt Beranabus. 'Dit was anders. Ik weet niet precies hoe, maar dat ga ik uitzoeken. Ik zal hem opsporen, ook al moet ik daarvoor duizenden werelden langs en miljoenen demonen doden. Normaal gesproken zou Kernel me ernaartoe kunnen brengen – hij is een ster in het opsporen van dit soort schurken – maar ik weet niet zeker of hij nog zijn steentje kan bijdragen.'

'Ik kan dan misschien niet meer mijn steentje bijdragen,' gromt Kernel, 'maar ik kan nog wel zorgen dat bij u de lichten uitgaan, ouwe man.' Hij ontbloot zijn tanden. 'Of moet ik zeggen: ouwe demon?'

Beranabus laat een kort lachje horen. 'Of Kernel nu wel of niet zijn magie kan inzetten, ik zal dat monster vinden en doden voordat hij een andere manier heeft gevonden om een tunnel tussen de universums te openen. En jij gaat me helpen. Ik weet het, Kernel weet het – en jij weet het. Daarom ben je kwaad. Je hebt geen keus omdat je geweten je deze kant op duwt. Ondanks alles wat er is gebeurd – het verdriet waar je doorheen gaat, het schuldgevoel, de angst – moet je dit doen. Anders kun je jezelf nooit meer onder ogen komen.'

'Kunnen we niet even wachten?' roep ik uit. 'Het een paar dagen laten rusten, zodat ik om Bill-E kan rouwen en bij Derwisj kan zijn?'

'De Demonata zullen niet wachten,' zegt Beranabus. Er verschijnt een flauwe glimlach op zijn gezicht. 'Het is voor geen van ons makkelijk. Kernel heeft medische verzorging nodig. In het magische universum kunnen we een nieuw paar ogen voor hem maken, maar die werken alleen in het domein der demonen.

Zodra hij naar deze wereld terugkeert, zullen die ogen verdwijnen. De pijn zal verschrikkelijk zijn en elke keer dat hij terugkeert erger worden. Voor hem zal de aarde geen thuis meer zijn.

'Ik wil naast Bec zitten, haar vertellen wat er de afgelopen vijftienhonderd jaar is gebeurd, het over vroeger hebben, haar opnieuw leren kennen, haar wegwijs maken in deze onbekende en beangstigende wereld. Me terugtrekken en een paar vredige jaren in haar gezelschap doorbrengen voordat mijn uitgeputte oude geest het begeeft.

'Maar Kernels geruïneerde ogen hebben geen mallemoer te betekenen. Mijn meelijwekkende verlangens nog minder. We zijn pionnen van het universum. We gaan naar waar we gewenst zijn, we doen wat we moeten doen. Al het andere is van ondergeschikt belang.'

'Ik weet het,' zeg ik zuchtend. 'Ik begrijp het. Maar Derwisj... Bill-E...'

'Bekijk het eens van deze kant,' zegt Kernel zacht. 'Je kunt hier om je broer rouwen en wachten totdat de wereld vergaat. Of je kunt in het universum van de Demonata om hem rouwen terwijl je de demonen zeven kleuren bagger laat schijten en alle hoeken van de hel laat zien.' Hij duwt zichzelf overeind en loopt krimpend van de pijn met uitgestrekte handen naar de monoliet. Hij raakt het donkere oppervlak van het venster aan, houdt even stil en kijkt omhoog, alsof hij voor de laatste keer een blik op de hemel wil werpen, zelfs zonder ogen en dwars door het verband heen. Dan gromt hij zacht, doet een stap naar voren en is verdwenen.

'Ik wil afscheid nemen van Derwisj,' mompel ik.

'Nee,' zegt Beranabus, 'dat wil je niet. Dat zou nog meer pijn betekenen. Het is beter om weg te glippen terwijl hij slaapt. Hij zal het niet leuk vinden, maar het wel begrijpen.'

'Hoe gaat hij Bill-E's verdwijning verklaren tegenover de politie, zijn leraren, iedereen die hem heeft gekend?'

'Hij verzint wel een goed verhaal. Hij is er altijd al goed in geweest zijn verzinsels bij de feiten te laten aansluiten.' Beranabus steekt een hand naar me uit.

'En de grot dan?' vraag ik, om nog wat tijd te rekken. 'We moeten de ingang weer blokkeren, want anders kunnen de Demonata –'

'Daar heb ik al voor gezorgd,' zegt Beranabus bruusk. Hij begint zijn geduld te verliezen. 'Ik heb nieuwe waarschuwingsbezweringen uitgesproken en Derwisj zal ervoor zorgen dat de ingang zo snel mogelijk wordt dichtgegooid.'

'Uw bezweringen hebben de vorige keer ook niet gewerkt,' herinner ik hem.

'Dat kwam door de Kah-Gash,' snauwt hij. 'Die heeft de macht elke bezwering ongedaan te maken, of die nu van mij is of van iemand anders. Maar met Kernel en jou aan mijn zijde hoef ik daar nu niet bang voor te zijn. Als de demonen opnieuw een aanval doen op de grot, zal ik het weten. Goed, ga je nu mee of niet? En voordat je antwoordt, vergeet niet dat de Lammeren nog steeds naar je op zoek zijn.'

Ik lach spottend. 'Het is lang geleden dat zij me angst aanjoegen – nu niet meer.'

'Nee. Omdat je nu een machtiger vijand hebt.'

Ik knik langzaam, met tegenzin, en pak dan de hand van de tovenaar. 'Ik ben bang,' fluister ik. 'Banger dan ik ooit ben geweest, en dat zegt heel wat.'

'Ik weet het,' antwoordt hij rustig. 'Dat zal waarschijnlijk nooit veranderen. Mocht je er enige troost uit putten, ik ben ook bang, zelfs na al die eeuwen.'

'Hoe gaat u om met de angst?' vraag ik.

Hij haalt zijn schouders op. 'Ik vecht.'

'Is dat genoeg?'

'Dat moet maar.'

En na die twijfelachtige, sombere conclusie lopen we naar de monoliet, de tovenaar en zijn assistent, redders van de wereld, slaven van het universum. We leggen onze handen op de gladde zwarte steen. Er gaat een golf magie doorheen. Net als Kernel kijken we nog even omhoog, voor een laatste blik op de prachtige, met fonkelende sterren bezaaide hemel. Ik denk aan Derwisj, Bill-E, alles wat ik moet achterlaten. De gevechten, de eenzaamheid, de pijn die me te wachten staan. Ik wil ervan wegrennen en me verschuilen. Maar ik kan het niet. Nee – ik wíl het niet.

Beranabus geeft een zacht rukje aan mijn hand. Ik adem diep in, wacht een paar tellen met uitademen en doe dan gewillig samen met hem een stap naar voren, mijn noodlot tegemoet in het universum van al wat slecht en demonisch is.

Lees ook de andere delen uit de

DEMONATA-serie:

Grootmeester van het Kwaad

– Demonata 1

'De deur voelt bloedheet, alsof er
een brand achter woedt. Ik druk
mijn oor tegen het hout, maar ik
hoor geen geknetter. Geen rook.
Alleen een diepe zware ademhaling. Mijn hand ligt op de deur-
knop. In de kamer lacht iemand
– laag, schor en sadistisch. Ik
hoor een scheurend en knappend
geluid, gevolgd door geknars. Ik
open de deur. Voor me openbaart
zich de hel op aarde.'

Als Grubbs Grady voor het eerst
de Grootmeester van het Kwaad
en zijn duivelse dienaren ontmoet, leert hij drie dingen: 1) de wereld
is verdorven, 2) er is magie en 3) demonen bestaan echt. Grubbs kan
zich niet voorstellen dat hij ooit nog zo'n afgrijselijke nacht vol dood
en verderf zal meemaken. Maar daarin vergist hij zich…

'Darren Shan is zonder enige twijfel een fantastische ontdekking voor
kinderen.'
The Independent

ISBN 978 90 261 3138 7

De delen uit de Demonata-serie staan op zichzelf en zijn apart van
elkaar te lezen.

Demonenjager

– Demonata 2

Kernel Fleck ziet af en toe vreemde vlekken in de lucht. Op een dag ontdekt hij dat hij deze lichtvlekken met elkaar kan verbinden. Zo creëert hij een raam dat toegang geeft tot een andere wereld waarin hij verdwijnt. Als hij later terugkeert, kan hij zich er niets meer van herinneren. In paniek verhuizen zijn ouders met het hele gezin naar een afgelegen dorp.

Het nieuwe leven bevalt uitstekend, totdat een oude vrouw een demon oproept. Het monster ontvoert Kernels broertje naar zijn eigen wereld.

Durft Kernel achter de levensgevaarlijke demon aan te gaan om zijn broertje te redden? Wat zal hij voor verschrikkingen aantreffen in de bizarre, duistere wereld van de Demonata?

ISBN 978 90 261 3173 8

Slagtenstein

– Demonata 3

*Happy endings bestaan niet. Ook
al overwin je grote obstakels,
overleef je levensgevaarlijke situaties, heb je de duivel in de ogen
gekeken en kun je het verhaal nog
navertellen. Maar daarmee is het
verhaal niet af. Zolang je ademt,
dreigt er gevaar.*

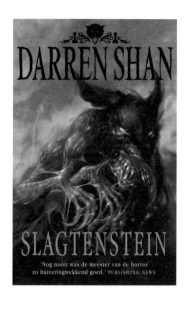

Sinds oom Derwisj terug is uit de
wereld van de demonen, wordt
hij geplaagd door nachtmerries.
Grubbs doet er alles aan om zijn
oom zo goed mogelijk op te vangen. Samen proberen ze een be-
staan op te bouwen vrij van demonen. Wanneer een legendarische
filmregisseuse Derwisj vraagt om haar te assisteren bij een horrorfilm,
lijkt dat een goede manier om de dagelijkse sleur te doorbreken en
een leuke tijd te hebben. Maar hun aanwezigheid op de filmset van
Slagtenstein brengt bij Grubbs en zijn vriend Bill-E meer boven dan
hun lief is. Loopt dit avontuur wel goed af?
Lichten… camera… draaien maar!

ISBN 978 90 261 3212 4

Demonenbloed

– Demonata 4

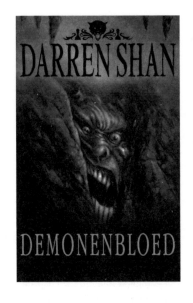

Wanneer haar moeder sterft, blijft Bec alleen achter. Ze wordt gevonden en opgevoed door een groep krijgers. Na enige tijd blijkt dat ze bijzondere krachten bezit.

Wanneer de groep krijgers aangevallen wordt door bloeddorstige demonen, probeert Bec de mannen zo goed mogelijk bij te staan. Maar haar magie is nog niet sterk genoeg en de krijgers vrezen dat de demonen terug zullen keren.

Dan ontmoet Bec de druïde Drust, die haar helpt haar krachten te ontwikkelen. Onder zijn leiding beginnen Bec en de krijgers aan een gevaarlijke tocht om de demonen te verslaan.

Bec komt voor een onmogelijke opdracht te staan: er moet een offer gebracht worden om de demonen voorgoed te verdrijven, en niet zómaar een offer!

ISBN 978 90 261 1168 6

Wolvenbloed

– Demonata 5

Opnieuw een huiveringwekkend verhaal van de meester van de horror!

Tot nu toe heeft Grubbs Grady kunnen ontkomen aan de vloek die op zijn familie rust. Maar wanneer hij bij volle maan alarmerende symptomen vertoont, is Grubbs doodsbang dat ook hij in een weerwolf zal veranderen.

Hij heeft de dood in de ogen gezien en levensgevaarlijke demonen verslagen, maar zijn wolvengenen laten zich niet sturen. Kan Grubbs het beest in zichzelf verslaan? Of valt hij ten prooi aan zijn eigen verdorven bloed?

ISBN 978 90 261 2301 6

DE WERELD VAN
DARREN SHAN

Deel 1

Deel 2

Deel 3

Deel 4

Deel 5

Deel 6

Deel 7

Deel 8

Deel 9

Deel 10

Deel 11

Deel 12

COMPLEET!